深海探测先进装备技术系列

深海载人潜水器运维技术体系

丁忠军　李德威　高　翔
张　奕　齐海滨　吴俊飞　编著

U0285089

哈尔滨工程大学出版社
Harbin Engineering University Press

内 容 简 介

本书以推动我国载人潜水器运维保障技术体系为目标,从载人潜水器的诞生和发展历程、载人潜水器系统组成、载人潜水器常规运维、应急与安全保障、潜水器布放回收技术、潜水器运维信息管理技术以及潜航员培养等方面全面地进行了阐释,并介绍了我国"蛟龙"号载人潜水器运维保障管理技术体系建设实例与研究成果。

本书可作为载人潜水器运维工作者的参考资料,也可作为深海潜水器技术相关专业的本科生和研究生的专业教材。

图书在版编目(CIP)数据

深海载人潜水器运维技术体系/丁忠军等编著.—
哈尔滨:哈尔滨工程大学出版社,2023.6
ISBN 978-7-5661-4020-3

Ⅰ.①深… Ⅱ.①丁… Ⅲ.①深潜器-运行②深潜器-装备保障 Ⅳ.①U674.941

中国国家版本馆 CIP 数据核字(2023)第 122302 号

深海载人潜水器运维技术体系
SHENHAI ZAIREN QIANSHUIQI YUNWEI JISHU TIXI

选题策划 姜 珊
责任编辑 张 彦　田雨虹
封面设计 刘长友

出版发行　哈尔滨工程大学出版社
社　　址　哈尔滨市南岗区南通大街 145 号
邮政编码　150001
发行电话　0451-82519328
传　　真　0451-82519699
经　　销　新华书店
印　　刷　哈尔滨理想印刷有限公司
开　　本　787 mm×1 092 mm　1/16
印　　张　9
字　　数　222 千字
版　　次　2023 年 6 月第 1 版
印　　次　2023 年 6 月第 1 次印刷
定　　价　48.00 元
http://www.hrbeupress.com
E-mail:heupress@ hrbeu.edu.cn

前　　言

在 21 世纪把我国建设成为海洋强国是中华民族的一项伟大且艰巨的历史任务。历史经验证明，人类认识海洋、开发海洋、保护海洋都要依靠各时代最先进的科技成果。因此，建设海洋强国的核心是发展海洋高技术。与计算机技术、航空航天技术的发展一样，海洋高技术尤其是深海高技术在近二三十年发展迅速，而载人潜水器勘查技术就是其中的重要组成部分，是当今深海高技术发展的前沿。

载人潜水器是运载科学家、工程技术人员和各种电子装置、机械设备快速、精确地到达各种深海复杂环境，进行高效勘探、科学考察和开发作业的装备。它是人类开发深海，利用海洋资源的一种重要技术手段。载人潜水器能使科学家亲临海底现场，进行实地观察、取样和探测作业，特别是能在复杂和恶劣的深海环境中进行现场直接观察，将捕捉到的水下实际信息及时进行综合整理分析，迅速得出准确的处理意见或做出创造性的决策，能够极大地推动前沿勘查研究成果的产出。可见，在科学研究领域，尤其是在海底矿产勘探和深海生物基因研究等方面，载人潜水器的应用尤其重要。

深海载人潜水器作为重大深海装备——国之重器，其安全运行、高效应用对我国深海高技术发展具有重要意义。本书在充分总结"蛟龙"号载人潜水器运维体系建设经验的基础上，深入研究了国际上，尤其是美国载人潜水器运维保障的先进成果，从载人潜水器的发展历程、载人潜水器系统组成、载人潜水器常规运维、应急与安全保障、潜水器布放回收技术、载人潜水器信息管理技术等方面进行了系统地和较为全面地阐述，使读者对载人潜水器及其他重大深海装备运维有全面的认识。同时，本书论述的潜水器运维保障的具体技术和方法，大多在国内外系列载人潜水器上得到了成功应用，一些技术方法直接来源于潜水器维护保障实践，可作为载人潜水器等重大深海装备运维工程技术人员的参考资料。

由于编著者水平有限，书中难免存在不足之处，恳请广大读者批评指正。

编著者
2023 年 3 月

目　录

第1章　载人潜水器发展历程 ·· 1

　1.1　载人潜水器的诞生 ·· 1

　1.2　载人潜水器发展历程 ·· 3

第2章　载人潜水器系统组成 ·· 13

　2.1　载体结构 ·· 13

　2.2　推进系统 ·· 16

　2.3　电力配电系统 ·· 22

　2.4　导航控制系统 ·· 27

　2.5　声学系统 ·· 33

　2.6　液压系统 ·· 38

　2.7　压载与纵倾调节系统 ·· 38

　2.8　生命支持系统 ·· 44

　2.9　潜浮与应急抛载系统 ·· 46

第3章　载人潜水器常规运维 ·· 49

　3.1　载人潜水器作业环境及其影响 ·· 49

　3.2　载人潜水器日常维护 ·· 53

　3.3　载人潜水器航次现场保障 ·· 58

　3.4　潜水器维护保障考核评价 ·· 61

第4章　应急与安全保障 ·· 63

　4.1　应急状况预防技术 ·· 63

　4.2　应急状况处置技术 ·· 69

　4.3　潜水器重大设备故障与处理措施 ·· 78

　4.4　潜水器应急事故与处置 ·· 83

第5章　潜水器布放回收技术 ·· 90

　5.1　潜水器水下布放回收 ·· 90

　5.2　潜水器水面布放回收 ·· 92

　5.3　水面支持母船设计 ·· 98

第6章　载人潜水器运维信息管理技术 ·· 108

　6.1　运维信息管理系统基本功能 ·· 108

6.2　运维信息管理系统架构 ……………………………………… 109

6.3　设备管理 ………………………………………………………… 110

6.4　运行作业管理 …………………………………………………… 112

6.5　拆检总装管理 …………………………………………………… 117

6.6　信息统计汇总 …………………………………………………… 119

第7章　载人潜水器潜航员培养 ………………………………… 121

7.1　潜航员选拔 ……………………………………………………… 121

7.2　潜航员培训 ……………………………………………………… 129

参考文献 ………………………………………………………………… 131

第1章　载人潜水器发展历程

载人潜水器英文名称为 human occupied vehicle(HOV)或 manned submersible,即有人的水下运载器。从这个意义上讲,潜艇也是载人潜水器的一种。由于应用目的不同,载人潜水器有两种发展趋势,一种是有军事用途的潜艇和深潜救生艇,另一种具有民事用途的狭义上的载人潜水器,也就是具有水下观察和作业能力的潜水装置。载人潜水器若无特指均指狭义上的载人潜水器。

1.1　载人潜水器的诞生

深海载人潜水器,简称深潜器,最早可追溯到15—16世纪。据说列昂纳多·达·芬奇曾构思"可以水下航行的船",但当时欧洲崇尚骑士精神,"水下航行的船"因其隐蔽偷袭能力被视为"邪恶的",所以他没有画出设计图。直至第一次世界大战前夕,潜艇仍被当成"非绅士风度"的武器,被俘艇员可能被以海盗论处。

1578年,英国的数学家威廉·伯恩创作了《发明与设计》一书,此书描述了潜水器的设计依据和基础动力原理。他设计的潜水器通过增加或减少排水量可以在水中下潜或上浮。如他的图纸(图1.1)所绘,用皮革包裹垫子与螺杆相连,拧螺丝驱动垫片就能控制排水量。不过博恩只有图纸,没造出实物。1620年,世界上第一艘有文字记载的"可以潜水的船只"由荷兰裔英国人科尼利斯·德雷尔建成(图1.2),它是依据威廉·伯恩的设计图纸设计出来的,动力由人力提供,但有人认为那只是"缚在水面船只下方的一个铃铛状的东西",根本不能算潜水器。其后一百多年间也有人在该艇的基础上进行改进,但发展较为缓慢,直到战争的来临。

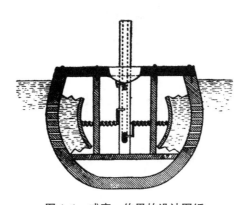

图 1.1　威廉·伯恩的设计图纸

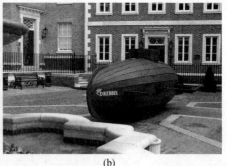

(a)　　　　　　　　　　　　　　　　(b)

图1.2　第一艘载人潜水器示意图及复原图

"可潜水船只"能够探索水下世界,但其军事价值很快就被发掘了。1648年,切斯特主教约翰·维尔金斯(J. Wilkins)著书《数学魔法》,书中指出潜水器在军事战略上的优势,其后潜水器在军事上的用途被人们很快开发出来,也就是潜艇。在1776年的美国独立战争中,潜艇第一次登上了战争的舞台。美国耶鲁大学的大卫·布什奈尔(D. Bushnell)建成潜艇"海龟"(Turtle)号(图1.3),通过脚踏阀门向水舱注水,可使艇潜潜至水下6 m,且在水下停留约30 min。艇上装有两个手摇曲柄螺旋桨,可使艇获得约3 kn的速度和操纵艇的升降。艇内有手操压力水泵,排出水舱内的水,使艇上浮。艇外携带一个能用定时引信引爆的炸药包,可在艇内操纵系放于敌舰底部。内部仅容纳一人操作方向舵和螺旋桨。1776年,"海龟"号企图攻击英国皇家海军"鹰"号航空母舰(HMS Eagle),虽未成功,但开创了潜艇首次袭击军舰的尝试。

图1.3　"海龟"号潜艇

在经历了战争的洗礼后,潜艇发展迅速,而载人潜水器直到20世纪在民用领域才有了较大发展。

1.2 载人潜水器发展历程

在美国独立战争和南北战争时期,潜艇已经开始崭露头角,但真正大展手脚是在第一次世界大战、第二次世界大战时期。新式武器的发展往往离不开战争,战争的迫切需要可以迅速催生出各种新型武器和新技术。压缩空气、声呐、氧气制备、新型材料等技术的出现使得人类向深海进军的梦想变得不再遥不可及。

1.2.1 第一代载人潜水器

第二次世界大战结束后,皮卡德在比利时国家科研基金会的资助下,建成了第一艘"水下气球"式"弗恩斯(FNRS)Ⅲ"号载人潜水器(图 1.4)。载人潜水器的载人舱是一个直径为 2 m 的钢制球壳;除了控制仪器外,球壳内仅仅能够容纳两个人。1948 年 11 月 3 日,该载人潜水器缓缓潜入水下 26 m。这次试验证明了只需艇上的驾驶员控制,载人潜水器同样能够完成自由升降。皮卡德又设计了一套遥控装置。第二次试验,载人潜水器下潜到了1 370 m 的深度。当它浮出水面时,载人潜水器载人舱严重进水,外形因受巨大压力而变形,所以"弗恩斯(FNRS)Ⅲ"号载人潜水器并不是一个成功的载人潜水器。尽管如此,皮卡德的试验,使人类向深海探索的历程跨入一个崭新的纪元。

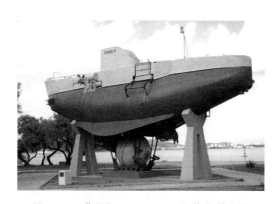

图 1.4 "费恩斯(FNRS)Ⅲ"号载人潜水器

1951 年,奥古斯特·皮卡德带领儿子杰昆斯·皮卡德来到意大利港口城市的里雅斯特,在瑞典有关部门的支持下设计深海载人潜水器,该载人潜水器成为真正意义上的第一代载人潜水器。这艘载人潜水器长 15.1 m,宽 3.5 m,艇上可载三名科学家。皮卡德父子将它命名为"的里雅斯特"(Trieste)号(图 1.5)。皮卡德父子驾驶着"的里雅斯特"号数次打破了人类深海潜水的新纪录。1958 年,"的里雅斯特"号以高价转卖给美国海军。在皮卡德父子的直接领导下,美国海军从德国购置了一种耐压强度更高的克虏伯球,建造新型的"的里雅斯特"号载人潜水器。"的里雅斯特"号载人潜水器在 1960 年 1 月 20 日用时 4 h 43 min,潜到了世界海洋最深处——10 916 m 马利亚纳海沟,最大潜水深度为 10 916 m,这是人类历史上第一次抵达海底最深处,"的里雅斯特"号也成为第一艘抵达海底最深处的载人潜水器。皮卡德父子实现了他们的最终梦想。

图1.5 "的里雅斯特"号载人潜水器

"的里雅斯特"号属于第一代载人潜水器,尽管它们取得了瞩目的成就,但这些潜水器排水量和体积都极其庞大,建造和运输极为不便,同时受技术条件限制也没有航行和作业的能力,因此除了打破人类纪录探险功能之外,在科学研究领域暂未得到实际应用。但很快,载人潜水器即将迎来飞速发展的时代。

推动深海载人潜水器发展的关键事件是1963年4月美国"长尾鲨"号核潜艇(Thresher)的损失。该潜艇沉到大约2 500 m的深度。当时,只有"的里雅斯特"号可到达该深度,所以搜索和勘测沉没的潜水艇的唯一的方法是使用"的里雅斯特"号载人潜水器。不幸的是,它的准备和运送到悲剧事发现场花费了大约两个月的时间。抵达后"的里雅斯特"号经过几次潜水但均未成功,且出现损伤,被拖到美国沿海基地维修。这些困难促使从事水下技术研究的美国公司开发出紧凑、轻便的新型潜水器,并且可以通过轮船或飞机快速运送到灾难或研究地点。于是,第二代载人潜水器应运而生。

1.2.2 第二代载人潜水器

由于第一代载人潜水器依靠汽油浮力舱,导致其体积庞大,第二代载人潜水器采用一种新型浮力材料取代了汽油浮力舱,使体积减小,同时部分载人潜水器装备了机械手,提高了载人潜水器的作业能力。"阿尔文(Alvin)"号、"鹦鹉螺(Nautile)"号、"和平(MIR)"号、"SHINKAI(深海)6500"号、"蛟龙"号、"奋斗者"号等载人潜水器都属于第二代载人潜水器。

"阿尔文"号载人潜水器是世界上最著名的深海考察工具,服务于伍兹霍尔海洋研究所(Woods Hole Oceanographic Institution,WHOI)。它是20世纪60年代初根据美国明尼苏达州通用食品公司(General Mills)的一位机械师哈罗德(Harold Froehlich)的设计而建造的。尽管人们普遍认为General Mills主要是一家生产谷物早餐的公司,但该公司具有悠久的研发历史,其实验室专注于精密军事装备的研发。

Thresher事件发生后,结构轻便的新型深海载人潜水器的需求更为迫切,为了保证潜水器的轻量化,哈罗德采用了一种"复合泡沫"的新型材料,这种材料是一种金属或陶瓷基质中填充有空心玻璃微珠的聚合物材料,密度低,强度高,减小了潜水器的质量。1963 年 9 月,哈罗德和 General Mills 获得了美国专利,名为水下运载器(Underseas Vehicle),"阿尔文"号潜水器就是基于该专利建造的如图 1.6 所示。

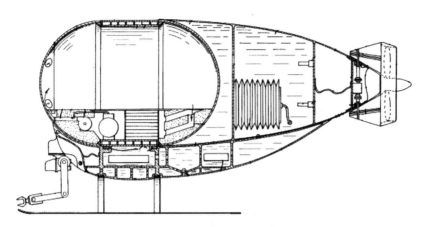

图 1.6　"阿尔文"号原型

"阿尔文"号潜水器于 1964 年正式建成,被大多数人称作"历史上最成功的潜艇"。"阿尔文"号质量约为 17 t,长为 7.13 m,高 3.38 m,宽 2.62 m,航行半径约为 10 km,航速可达到 1 kn,最高航为 2 kn,由 5 个水力推进器驱动,潜水器供电系统由铅酸电池组成。"阿尔文"号的框架结构和载人球壳为钛合金,在正常情况下它能在水下停留 10 h,不过它的生命保障系统可以允许潜艇和其中的工作人员在水下生活 72 h。研究人员在"阿尔文"号潜艇中可进行生物、化学、地球化学和地质以及地球物理学方面的研究。

但"阿尔文"号的发展之路并不是一帆风顺的。1968 年,在科德角附近海域进行下潜准备工作时,将"阿尔文"号提起和放入海中的钢缆断裂,"阿尔文"号掉入约 5 000 ft[①] 下的海底。幸运的是当时潜艇掉入海中时是空闭的,潜艇中只有驾驶员艾德布兰德,他在离开潜艇时只受了些轻伤。"阿尔文"号在被重新打捞上来前在海底足足待了 11 个月。在打捞期间,虽然它受到了损伤,但在接近 0 ℃的水温和缺氧的环境中仍然保存良好,随后"阿尔文"号进行了大修和其技术升级改造,升级改造后的形态如图 1.7 所示。

1974 年,"阿尔文"号在法美中层海洋水下研究项目(project FAMOUS)中发挥了关键性作用。它和法国载人潜水器 Cyana 以及 Archimede,帮助法国和美国科学家证实了海底正在沿着位于洋中层水域的山脊的扩张理论。1964—2014 年,在其服役的 50 多年期间,"阿尔文"号潜艇已经执行 4 000 多次洋底探测计划:运送 12 000 多名乘客到达深海,并取回超过 680 kg 的样品。

"阿尔文"号在完成 project FAMOUS 项目后,其在海洋学研究领域作为极具价值的工作间的名声日渐卓著。1977 年,研究人员在加拉帕加斯群岛海岸线附近的大西洋中发现了热液孔。自那时起,它在大西洋和太平洋中已发现约 24 处有热液涌出的地点。研究人员在

---

① 1 ft=0.305 m。

"阿尔文"号的帮助下还发现并记录了约 300 种新型生物物种,包括细菌、长足蛤类、蚌类和小型虾类、节肢动物以及可在一些热液出口处成长为 10 ft 长的红短管状虫类。

图 1.7　升级改造后的"阿尔文"号

"双鱼座"(Pisces)号系列载人潜水器从 1965 年开始陆续下水,部分型号为商用潜水器,如"双鱼座Ⅲ"号主要用于海底电话线铺设,而"双鱼座Ⅳ"号是加拿大联邦渔业和海洋部在 1973 年建造用于为加拿大科学家提供科学研究支持的一艘载人潜水器(图 1.8)。该潜水器在加拿大海洋科学研究所运营了 13 年,在太平洋、北冰洋和大西洋完成了约 1 886 次的下潜工作。1986 年,由于削减预算导致其母船的租船合同被取消,加拿大不得已将"双鱼座Ⅳ"号载人潜水器出售给夏威夷海底研究实验室。"双鱼座Ⅴ"号(图 1.9),这两艘潜水器在下潜深度、尺寸大小上几乎相同,故在实际运营过程中两艘"双鱼座"号潜水器通常是交替下潜,一艘下潜工作,另一艘为紧急情况做准备。2002 年 8 月,"双鱼座Ⅴ"和她的姊妹船"双鱼座Ⅳ"在距珍珠港河口约 5 mile① 的 400 m 水下发现了一艘日本小型潜水艇。这艘潜水艇在袭击珍珠港前不久被一枚 4 in②/50 mm 的炮弹击中。这是对该潜水艇进行长达61 年搜寻的结果,被称为"该港口有史以来最重要的现代海洋考古发现"。

图 1.8　"双鱼座Ⅳ"号

图 1.9　"双鱼座Ⅴ"号

---

① 1 mile=1 609.3 m。
② 1 in=0.025 4 m。

　　法国 1984 年研制成的"鹦鹉螺"号载人潜水器潜水艇(图 1.10)最大下潜深度可达 6 000 m,活动范围可以遍及全球海域的 97%。其累计下潜约 1 700 次,完成过多金属结合区域、深海海底生态等调查,以及沉船、有害废料等搜索任务。该潜水器的操作和维护由 GENAVIR 进行,法国海洋开发研究院(IFREMER)负责"鹦鹉螺"号载人潜水器的技术支持和改进。载人球体的材料为钛合金,潜水器前面装有两个机器手臂,可用于采集样品。"鹦鹉螺"号载人潜水器的工作小组至少有 8 个人,包括 2 个潜航员(其中一个可作为监督者)、2 个精通电子的潜航员、2 个导航专家、2 个精通机械的潜航员。"鹦鹉螺"号载人潜水器长 8 m,宽 2.7 m,高 3.81 m,质量 19.5 t,可载 3 人,内部直径 2.1 m,舷窗 3 个(直径为 120 mm)。"鹦鹉螺"号载人潜水器最著名的应用是探索泰坦尼克号的残骸和打捞"法航 447"的黑匣子。

图 1.10　"鹦鹉螺"号载人潜水器

　　自 1984 年入役以来,"鹦鹉螺"号载人潜水器已累计执行了 37 个航次。1984—1999 年,"鹦鹉螺"号载人潜水器每年平均下潜 100 次。1987—1998 年,"鹦鹉螺"号载人潜水器在泰坦尼克号失事海域开展了 116 次下潜,进行了早期热液考察研究,共打捞泰坦尼克沉船上的文物约 1 500 件,它用两个机器手臂将文物放在箱子里,然后带回水面。1998 年,"鹦鹉螺"号载人潜水器将一个很大(长 8 m,宽 7 m)的船壳的碎片带回水面。它的机器手臂非常灵活,即便是遇到一个水晶花瓶,也能够完好无损地将其带回水面。

　　1999 年,IFREMER 开始使用新 ROV"VICTOR 6000"执行作业任务。自此开始,"鹦鹉螺"号载人潜水器下潜次数下降至 50 次/年左右,甚至更低。近年来,为应对经费紧缺带来的影响,IFREMER 研究人员开创性地提出了自主式水下航行器(AUV)和 HOV 协同作业的模式,即先利用 3 000 米级 AUV 对调查海域进行大范围地形地貌测量,选择合适的感兴趣作业点,随后利用"鹦鹉螺"号载人潜水器开展定点下潜作业。实际应用表明,这种协同作业模式提高了载人潜水器下潜调查作业的经济性和效率,为未来载人潜水器的应用提供了新的模式。2009 年"法航 447"航班失事后,"鹦鹉螺"号载人潜水器及其他水下运载器参与了打捞飞机残骸和黑匣子等工作。

　　相比于美国和日本,俄罗斯同样具备强大的载人潜水器研制及应用能力,其拥有目前世界最多的大深度载人潜水器,如"Mir-1(和平Ⅰ)"号、"Mir-2(和平Ⅱ)"号、"Pisces"号等。

俄罗斯的潜水器具有显著的技术特点,最为著名和典型的是 1987 年研制的两艘 6 000 米级和平系列双子载人潜水器。俄罗斯于 1987 年在芬兰建造了两艘 6 000 米级载人潜水器"和平Ⅰ"号和"和平Ⅱ"号(图 1.11),质量各为 19 t。其 Fe-Ni 电池所供的总能量为美国"Seacliff"号和法国"鹦鹉螺"号的二倍,水下总时间长达 17~20 h,水下瞬时航速高达 5 kn,潜水器垂直潜浮速度可从几 cm/min 到 35~40 m/min,并备有高分辨率的主体摄像系统;配有两只七自由度机械手及一套取样装置,还带有 12 套检测深海环境参数和海底地形地貌的科学研究设备。这两艘潜水器的艇首和艇尾均有可变压载系统,因而上浮/下潜运动十分灵活,直径 2.1 m 的内部空间提供了良好的工作环境。近二十年来,它们在太平洋、印度洋、大西洋和北极海已进行了 720 次的科学技术考察,包括对海底热液硫化物矿、深海生物及浮游生物的调查和取样;大洋中脊水温场的测量;俄罗斯失事核潜艇"共青团员"号核辐射的检测和"Titanic"号沉船的水下摄影等。电影《泰坦尼克号》里面很多镜头就是"和平Ⅰ"号和"和平Ⅱ"号探测的镜头。2007 年 8 月 2 日,俄罗斯利用"和平Ⅰ"号下潜至北极的海床(深 4 261 m),并在海底插上了国旗,实现了人类历史上首次北极下潜。2009 年 8 月,普京搭乘"和平Ⅰ"号潜入位于西伯利亚的全球最深湖——贝加尔湖,深入 1 400 m 的湖底,考察珍贵的天然气水晶"可燃冰"。

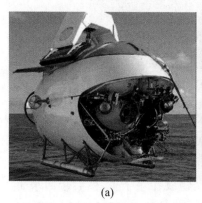 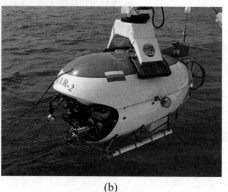

(a)　　　　　　　　　　　　　　　　(b)

图 1.11　"和平Ⅰ"号和"和平Ⅱ"号载人潜水器

作为海洋大国的日本,对海洋尤为重视与警觉,1971 年 10 月成立了统筹全日本海洋科学技术研究与发展机构的核心机构——日本海洋地球科学技术中心(Japan Agency for Marine-Earth Science and Technology,JAMSTEC)。该机构在 1981 年建成的潜深为 2 000 m 载人潜水器基础上,于 1989 年建成了潜深为 6 500 m 的"SHINKAI 6500"载人潜水器(图 1.12),质量为 26 t,水下作业时间 8 h,装有三维水声成像等先进的研究观察装置。可旋转的采样篮使得操作人员可以在两个观察窗的任何一个进行取样作业,这是其他载人潜水器无法做到的。2012 年 3 月,JAMSTEC 完成了"SHINKAI 6500"号的重大升级。原来的主摇摆式船尾推进器被两台中型固定式船尾推进器取代,并安装了附加的卧式船尾推进器,以便潜水器可以快速、平稳地运行。所有推力器的马达、液压泵和海水泵都被新的马达取代,从而具有更好地响应、加速和制动。它已对锰结核、热液矿床、钴结壳和水深达 6 500 m 海洋的斜坡与大断层进行了调查,并从地球物理角度对日本岛礁沿线所出现的地壳运动以及地震、海啸等进行了研究,还在约 4 000 m 深海处发现了古鲸遗骨及其寄生的贻贝类、虾类等典型生物群。投入使用至今已下潜了约 1 500 次。"SHINKAI 6500"号曾经创造了作业型深海载人潜水器潜水深度的世界纪录,它于 1989 年 8 月完成了 6 527 m 的下潜试验,该纪录保持了 26 年,最终在 2012 年被中国"蛟龙"号载人潜水器打破。

2002 年中华人民共和国科技部将深海载人潜水器研制列为国家高技术研究发展计划(863 计划)重大专项,启动"蛟龙"号载人潜水器的自行设计、自主集成研制工作。在国家海洋局组织安排下,中国大洋协会作为业主具体负责"蛟龙"号载人潜水器项目的组织实施,并会同中国船舶重工集团公司第七〇二研究所、中国科学院沈阳自动化研究所等约 100 家中国国内科研机构与企业联合攻关,攻克了中国在深海技术领域的一系列技术难关,经过 6 年努力,完成了载人潜水器本体研水面支持系统的研制和试验母船的改造以及潜航员的选拔和培训,从而使"蛟龙"号具备了开展海上试验的技术条件。2009—2012 年,接连取得 1 000 米级、3 000 米级、5 000 米级和 7 000 米级海上试验成功。2012 年 6 月,在马里亚纳海沟创造了下潜 7 062 m 的中国载人深潜纪录,也是世界同类作业型潜水器最大下潜深度纪录,打破了"SHINKAI 6500"号创下的作业型载人潜水器的纪录。"蛟龙"号载人潜水器,主尺度长为 8.2 m、高为 3.4 m、宽为 3.0 m,空重质量不超过 22 t,设计最大下潜深度为 7 000 m,工作范围可覆盖全球海洋区域的 99.8%(图 1.13)。"蛟龙"号载人潜水器研制和海上试验成功,标志着中国系统地掌握了大深度载人潜水器设计、建造和试验技术,实现了从跟踪模仿向自主集成、自主创新的转变,跻身世界载人深潜先进国家行列。

图 1.12　日本"SHINKAI 6500"号载人潜水器　　　图 1.13　"蛟龙"号载人潜水器

2009 年,我国启动了 4 500 米级"深海勇士"号载人潜水器的研制,研发团队历经 8 年持续艰苦攻关,在"蛟龙"号研制与应用的基础上,进一步提升中国载人深潜核心技术及关键部件自主创新能力,降低运维成本,有力推动深海装备功能化、谱系化建设。"深海勇士"号浮力材料、深海锂电池、机械手全是中国自己研制的,国产化达到 95%以上(图 1.14)。这不仅让潜水器的成本降低,也促使国内很多生产和制造潜水器相关配件的厂商进一步提高产品水平等级。

图 1.14 "深海勇士"号载人潜水器

1.2.3 现代全海深载人潜水器

"奋斗者"号是中国研发的万米载人潜水器,于 2016 年立项,由"蛟龙"号、"深海勇士"号载人潜水器的主要科研团队承担研发任务。2020 年 2 月,"奋斗者"号按计划完成了总装和陆上联调,3 月开展水池试验。在水池试验过程中,总共完成了包括全流程考核、多名潜航员承担水池下潜培训等 25 项测试任务。2020 年 6 月 19 日,中国万米载人潜水器正式命名:"奋斗者"号(图 1.15)。2020 年 10 月 27 日,"奋斗者"号在马里亚纳海沟成功下潜突破10 000 m 达到 10 058 m,打破了由"蛟龙"号创造的 7 062 m 的纪录。11 月 10 日 8 时 12 分,"奋斗者"号再次在马里亚纳海沟成功坐底,坐底深度 10 909 m,刷新中国载人深潜的新纪录,也使得"奋斗者"号成为世界上第一艘到达马里亚纳海沟底部的作业型载人潜水器。至此,我国已经具备了 4 500—7 000—11 000 m 全海深全系列作业型载人潜水器,在未来深海矿产资源勘探和深海科学研究中将发挥开拓者的作用。

图 1.15 "奋斗者"号载人潜水器

"深海挑战者"(Deepsea Challenger)号是一艘由澳大利亚工程师打造、仅能容纳 1 人的深潜器,高 7.3 m,质量 12 t,承压钢板厚 6.4 cm(图 1.16)。该潜水器安装有多个摄像头,可以全程 3D 摄像,同时具备赛车和鱼雷的高级性能,而且还配有专业设备收集小型海底生物,以供地面的科研人员研究。"深海挑战者"号外形扁平,使得其下潜的速度可达 150 m/min,

这个速度相比于作业型载人潜水器是非常惊人的。

图 1.16　"深海挑战者"号载人潜水器

2012 年 3 月 26 日，加拿大导演詹姆斯·卡梅隆乘坐"深海挑战者"号潜水艇抵达太平洋下约 11 000 m 深处的马里亚纳海沟，成为全球第二批到达该处的人类、第一位只身潜入万米深海底的挑战者，也使得"深海挑战者"号成为第二艘到达马里亚纳海沟底部的载人潜水器。2013 年，卡梅隆将自己私人研发的、价值 1 000 万美元的潜水艇"深海挑战者"号捐献给伍兹霍尔海洋研究所进行进一步的海洋研究。

"深潜限制因子"（DSV Limiting Factor）号载人潜水器由美国公司 Triton Submarines 制造，长 4.6 m，高 3.7 m，可以搭载两人（图 1.17）。该潜水器载人舱外壳由 9 cm 厚的钛合金制成，经过全面测试，可达到全洋深（FOD）的 120%，并获得商业认证，可进行数千次潜水。2019 年探险家 Victor Vescovo 乘坐"深潜限制因子"号到达了地球最深的太平洋马里亚纳海沟 10 927 m 深处，刷新了已保持近 60 年的世界纪录，也使得"深潜限制因子"号成为第三艘到达马里亚纳海沟底部的载人潜水器。

图 1.17　"深潜限制因子"号载人潜水器

1.2.4　载人潜水器技术发展展望

现今载人潜水器技术已经可以将科学家送至海底最深处进行各类科学研究、资源勘探取样等各种活动,从可抵达的海底深度方面来说,现今的载人深潜技术已经发展至较高水平;从技术层面上来讲,能源、水声通信、快速性等方面还有进一步提升空间。虽然受各种技术如水下通信、能源、人工智能发展的限制,遥控潜水器和自主式潜水器短时间内尚无法替代载人潜水器,载人潜水器在水下精细勘查和精细操作方面具有十分大的优势。由于在快速勘查、水下操作、下潜成本等各个方面载人潜水器均存在较大的劣势,随着各种水下机器人技术的突破,预计30~50年后深海载人潜水器必将被各种水下探测装备取代,仅存轻型载人潜水器满足人们水下观光旅游的需求。

第2章 载人潜水器系统组成

载人潜水器是一个高度集成的高新技术装备,其研制涉及机械、液压、流体力学、结构力学、材料力学、电气、水声通信、生命支持、总体布置等各个学科,根据各子系统功能的不同,可分为若干个子系统,国际上一般分为耐压壳体与外部结构系统、压载和纵倾调整系统、动力系统、控制系统和生命支持系统等,从潜水器维护保障的角度可细分为结构系统、推进系统、电力配电系统、控制系统、声学通信系统、液压系统、压载与纵倾调节系统、作业系统、生命支持系统、应急保障系统等,如图2.1所示。

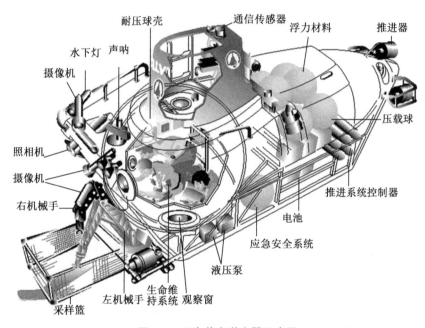

图2.1 深海载人潜水器示意图

2.1 载体结构

载人潜水器的载体结构是保证科学家、工程技术人员能在常压环境下进行海底科学考察和勘探作业的关键,也是保证非耐压的仪器设备能在深海环境下正常工作的基础。载体结构按承载方式可分为耐压结构和非耐压结构。

2.1.1 耐压结构

耐压结构主要提供乘员和仪器设备的空间,使其免受海水高压的直接作用,它包括能承受深海压力的大直径载人耐压壳、小直径仪器耐压罐、可调压载水舱、高压气罐等耐压壳体以及低密度浮力材料。

耐压壳体的质量约占潜水器总质量的1/4,因而合理设计耐压壳体,在保证强度的基础上,降低壳体质量,对潜水器性能有举足轻重的作用。目前世界上在役载人潜水器的耐压球舱主体材料基本上选用钛合金材料,极少数采用高强度钢等金属材料。表2.1列出了世界上主要深海载人潜水器载人舱所采用的材料。

表 2.1 世界上主要深海载人潜水器载人舱所采用的材料

深海载人潜水器名称	国家	载人舱球壳内径/m	载人舱球壳材料
"深海挑战者"号	美国	1.09	高强度锻钢
"深潜限制因子"号	美国	1.5	钛合金
"奋斗者"号	中国	1.8	钛合金
"蛟龙"号	中国	2.1	钛合金
"SHINKAI 6500"号	日本	2.0	钛合金
"和平 I"号和"和平 II"号	俄罗斯	2.1	马氏体镍钢
"鹦鹉螺"号	法国	2.1	钛合金
"阿尔文"号	美国	2.0	钛合金
"深海勇士"号	中国	2.1	钛合金

"阿尔文"号和"蛟龙"号载人潜水器载人球壳材料都采用钛合金制成,如图 2.2 和图 2.3 所示。

图 2.2 "阿尔文"号载人潜水器载人球壳

图 2.3 "蛟龙"号载人潜水器载人球壳

浮力材料为潜水器提供正浮力,部分构成潜水器流线的外形,还有的作为稳定翼的填充材料和内部设备的安装底座。

　　浮力材料的质量约占大深度潜水器总质量的 1/3,浮力材料的密度愈小,潜水器的质量愈小。降低浮力材料的密度仍然是近年来研究的热点,但难度已经越来越大。图 2.4 和图 2.5 分别为"阿尔文"号载人潜水器浮力材料和"蛟龙"号载人潜水器浮力材料。"阿尔文"号浮力材料比较简约,只有数个较大的浮力材料,"阿尔文"号在 2011—2013 年进行了大修和技术升级,部分组件已具备 6 500 m 下潜的能力,但浮力材料不在此列;"蛟龙"号浮力材料体积小、数量多,这些浮力材料是保障"蛟龙"号可下潜 7 000 m 的关键因素。

　　　　　图 2.4　"阿尔文"号浮力材料

　　　　　图 2.5　"蛟龙"号浮力材料

2.1.2　非耐压结构

　　非耐压结构包括支撑结构、轻外壳和稳定翼等,用来保证潜水器外形并承受潜水器总体载荷。其中支撑结构既为潜水器内部的耐压壳和各种仪器设备等提供安装基础与支架,又为外部结构中的浮力块、轻外壳、稳定翼和外部设备提供支撑,而且还是潜水器布放回收、母船系固和坐沉海底时的主要承载结构,是重要的外部结构。

　　载人潜水器结构框架如图 2.6 所示。

　　轻外壳提供部分流线型的外形,保护内部设备免受外物碰撞;稳定翼用于提高潜水器的稳定性和水动力性能。支撑结构、轻外壳和稳定翼不必承受深海压力,但支撑结构须保证潜水器布放回收的强度。

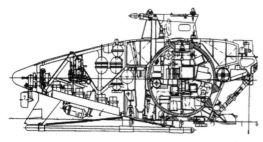
　　(a) "SHINKAI 6500"号载人潜水器

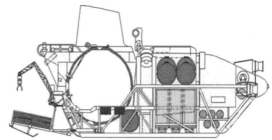
　　(b) "和平"号载人潜水器

图 2.6　载人潜水器结构框架

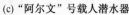

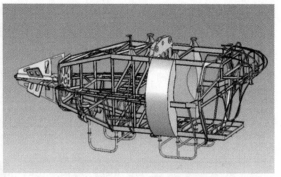

(c)"阿尔文"号载人潜水器　　　　　　　　　(d)"蛟龙"号载人潜水器

图 2.6(续)

2.2　推　进　系　统

推进系统主要负责载人潜水器前进/后退、上浮/下潜和转向运动,推进系统主要指推力器组,一般由多个相同型号和参数的推进器及其控制系统组成。

2.2.1　推进器种类

目前,主流深潜器的推进器以螺旋桨式和喷水推进为主,且以螺旋桨式推进方式最为广泛。应用于深潜器的推进器根据驱动动力源分为两类:电机驱动推进器和液压驱动推进器;按照密封方式可分为磁耦合式、O 形圈密封式、机械密封式、PTFE 旋转密封式、弹簧蓄能密封式等;按照是否有减速机可分为电机直驱型和减速机型两类。

1.电机驱动磁耦合螺旋桨式推进器

电机驱动磁耦合螺旋桨式推进器是深潜器中最常使用的推进器,该型推进器一般以直流无刷电机作为动力源,经过行星齿轮减速机将旋转动力传递给磁耦合联轴器的内磁体。磁耦合联轴器的内磁体与外磁体一般被可传导磁性的隔膜分隔开,实现电机等的水密。外磁体与螺旋桨一体,内外磁体通过隔膜传导的旋转扭矩实现动力的传导。图 2.7 为电机驱动磁耦合螺旋桨推进器。磁耦合式推进器的优点在于可靠性高,但传动效率有所损失,且行星传动和磁耦合传动会带来噪声问题。

2.电机驱动机械密封螺旋桨式推进器

电机驱动机械密封螺旋桨式推进器,如图 2.8 所示。机械密封式推进器与磁耦合式推进器相比,主要的区别在于密封方式不同。机械密封式推进器在传动轴尾端通过机械密封结构端面实现动密封。早期的机械密封式推进器由于电机转速高、扭矩低,一般在电机后都安装有减速机。近年来,随着电机技术的进步,出现了低转速、大扭矩直驱电机。直驱式较减速机式传动效率得到明显提升,且噪声得到有效控制。但是,机械密封式推进器在达到使用时间时必须及时更换密封件,否则较容易出现渗水等故障,可靠性相对磁耦合式低。

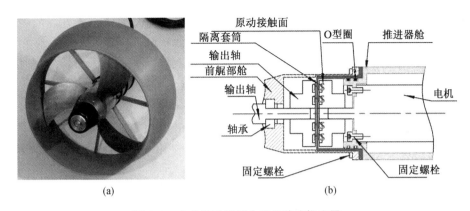

图 2.7　电机驱动磁耦合螺旋桨式推进器

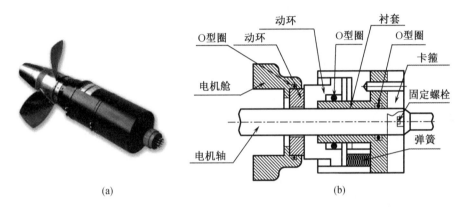

图 2.8　电机驱动机械密封螺旋桨式推进器

3. 液压驱动螺旋桨推进器

液压驱动螺旋桨推进器,如图 2.9 所示。采用液压作为动力源,通过液压马达驱动螺旋桨的推进器多应用于重型潜水器上,尤其以重载作业型遥控无人潜水器(ROV)居多。液压驱动由于需要能量的二次转化传动效率较电驱动低,但液压系统具备回流功能,在推进器被异物卡死时能够通过回流实现保护,避免了电机超限故障发生,使其传动平稳。

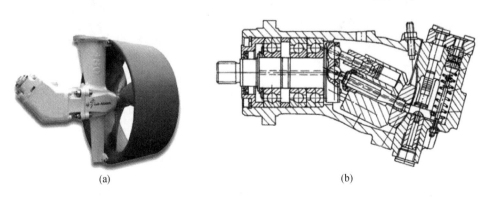

图 2.9　液压驱动螺旋桨推进器

4. 轮缘驱动推进器

轮缘驱动推进器如图 2.10 所示。无轴轮缘推进系统是近年来提出并发展的一种全新的深海推进方式,它完全取消了轴系,实现了电机和螺旋桨的一体化。永磁磁极和电机定子之间通过相互切割磁感线的电流作用来驱动螺旋桨桨叶旋转,以径向连接取代以往的轴向连接。轮缘驱动推进器在降低成本、减小振动与噪声等方面具有突出的优势,适用于对隐蔽性要求高的平台。

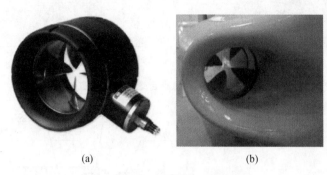

(a)   (b)

图 2.10　轮缘驱动推进器

5. 泵喷推进器

泵喷推进器如图 2.11 所示。泵喷/喷水推进器通过管道内叶轮和导叶的流场匹配设计在喷口产生轴向射流而获得推进作用。泵喷推进一般由轴流泵、混流泵、进水流道和喷口组成。流经深潜器前段的水流进入泵喷推进器后,先由旋转叶轮做功,然后经过导叶整流,最后经喷口射出而获得推进力。相比较上述以螺旋桨作为动力转换源的推进器,泵喷推进器推进效率更高,同时可避免螺旋桨高速时的空化现象。其功率密度大、推力大,适合高速深潜器使用。

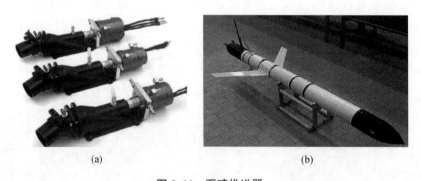

(a)   (b)

图 2.11　泵喷推进器

2.2.2　推进器布置形式

据国际载人潜水器委员会统计,2015 年世界上较为活跃的载人潜水器共 46 台,下潜深度超过 4 500 m 的深海载人潜水器 7 台。其中,我国"蛟龙"号、"深海勇士"号,美国"阿尔文"号,日本"SHINKAI 6500"号、俄罗斯"和平Ⅰ"号、"和平Ⅱ"号和法国"鹦鹉螺"号较有代表性,这些大深度载人潜水器基本都是采用推力器提供前进/后退、上浮/下潜和转向等复杂运动的动力,各国由于自身的技术实力、使用经验及经费条件不同,在潜水器上使用推力器数量和布置方式也各不相同。

1. "蛟龙"号

我国首台 7 000 米级载人潜水器"蛟龙"号的推力系统由 7 台推力器组成,主要包括艉部主推力器 4 台,艏部横向槽道推力器 1 台,舯部可回转推力器 2 台(图 2.12、图 2.13)。这些推力器通过推力分配系统保证了"蛟龙"号前进最大航速 2.5 kn,巡航速度 1.0 kn,最大横移速度 0.7 kn,最大垂向动力转移速度 0.7 kn。其中艉部主推力器由 4 台呈"十字形"布置的推力器组成,推力器轴线与潜水器轴线之间的夹角为 22.5°,这样主推力器不仅提供前进/后退的轴向推力,还提供 38.5%的横向推力、28.7%的上浮推力和 27.1%的下潜推力;艏部横向槽道推力器提供 61.5%的横向移动推力;舯部左右布置的两个垂向推力器提供上浮移动推力的 71.3%和下潜移动推力的 72.9%。

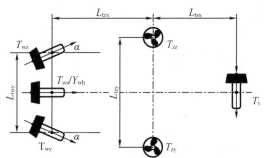

图 2.12 "蛟龙"号载人潜水器　　图 2.13 "蛟龙"号推力器布置图

2. 美国"阿尔文"号

美国研制的 4 500 米级载人潜水器"阿尔文"号的推进系统由 3 台推力器组成,主要包括艉部主推力器 1 台,舯部左右对称布置推力器各 1 台(图 2.14、图 2.15)。其中艉部的大推力矢量推力器是主推力器,为潜水器前进,后退及转向提供主要动力;舯部左右布置的 2 台小型推力器主要辅助艉部推力器辅助上浮,下潜及转向。

2011—2013 年美国对"阿尔文"号进行了彻底的升级,升级后其下潜深度达到 6 500 米级,同时对推力系统也进行了升级改造。新"阿尔文"号推力系统由 6 台推力器组成,主要包括艉部主推力器 3 台,艉部横向槽道推力器 1 台,舯部推力器 2 台(图 2.16、图 2.17)。其中艉部的 3 台主推力器分别布置在潜水器的左右两侧和上侧,为潜水器前进、后退提供动力;艉部横向槽道推力器主要为潜水器转向提供动力;舯部左右布置的 2 台垂向推力器主要为潜器上浮/下潜移动提供动力。

3. 俄罗斯"和平"号

俄罗斯 6 000 米级深海载人潜水器"和平"号推力系统由电动液压马达驱动液压泵为动力源的 3 台推力器组成,主要包括艉部主推力器 1 台,舯部左右两侧布置的垂向推力器 2 台(图 2.18、图 2.19)。其中艉部主推力器功率为 9 kW,拥有矢量调节机构,为潜水器前进/后退及转向提供动力;舯部左右布置的垂向推力器功率为 2.5 kW,为潜水器上浮/下潜移动提供动力。

图2.14　旧"阿尔文"号载水潜水器

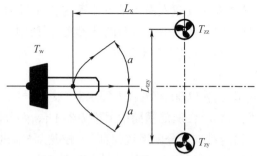

图2.15　旧"阿尔文"号推力器布置图

图2.16　新"阿尔文"号载人潜水器

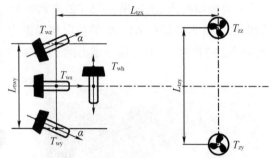

图2.17　新"阿尔文"号推力器布置图

图2.18　"和平"号载人潜水器

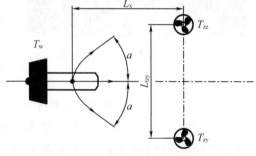

图2.19　"和平"号推力器布置图

（4）法国"鹦鹉螺"号

法国研制的6 000米级载人潜水器"鹦鹉螺"号推力系统由5台推力器组成,主要包括艉部主推力器1台,艏部左右对称布置槽道推力器2台,艏部横向推力器1台,艉部横向推力器1台(图2.20、图2.21)。其中艉部主推力器是一台可调节的轴向大功率推力器,为潜水器前进后退提供动力;艏部左右布置的垂向槽道推力器为潜水器上浮/下潜移动提供动力;艏艉横向布置的槽道推力器为潜水器横向移动及转向提供动力。

5.日本"SHINKAI 6500"号

日本6 500米级载人潜水器"SHINKAI 6500"号推力系统由6台推力器组成,主要包括艉部左右轴向布置主推力器2台,艉部横向槽道推力器1台,艏部左右布置垂向推力器2台,艏部横向槽道推力器1台(图2.22、图2.23)。其中艉部两台轴向主推力器为潜水器前进/后退提供动力;艏部垂向槽道推力器为潜水器上浮/下潜移动提供动力;艏艉横向布置槽道推力器为潜水器横向移动及转向提供动力。

图 2.20　"鹦鹉螺"号载人潜水器

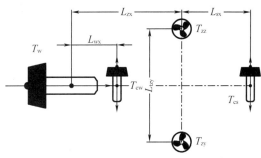

图 2.21　"鹦鹉螺"号推力器布置图

图 2.22　"SHINKAI 6500"号载人潜水器

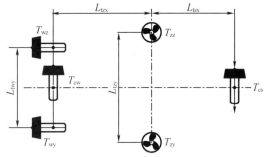

图 2.23　"SHINKAI 6500"号推力器布置图

6. "深海勇士"号

我国 4 500 米级载人潜水器"深海勇士"号推力系统由 6 台推力器组成,主要包括艉部轴向主推力器 2 台,艉部垂向推力器 1 台,舯部左右布置的槽道推力器 2 台,艏部横向槽道推力器 1 台(图 2.24、图 2.25)。其中艉部轴向推力器分别安装在左右两个尾翼上并且能够跟随尾翼做 90°的回转,除了提供前进/后退移动的动力外,还可以为潜水器快速上浮移动提供推动力;艉部的 1 台垂向推力器和舯部左右布置的两个槽道推力器提供上浮/下潜动力;艏部的 1 台横向槽道推力器为潜水器转向提供推动力。

图 2.24　"深海勇士"号载人潜水器

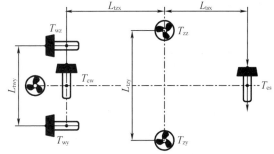

图 2.25　"深海勇士"号推力器布置图

通过以上分析可以看出,各国大深度载人潜水器推力器布置方式各不相同,但是基本都是由主推力器和辅助推力器组成的,其中主推力器都布置在潜水器的尾部,辅助推力器根据其功能不同布置在潜水器首部、中部和尾部,一般辅助推力器中舯部推力器辅助潜水器上浮/下潜,艏艉推力器辅助转向。主推力器主要提供潜水器前进和后退的动力,兼有转向功能。

2.3 电力配电系统

电力配电系统是载人潜水器的动力之源和互通网络,担负着为各种大功率机电设备及所有仪器仪表提供直流电源的任务,其众多的水密电缆和水密接插件将潜水器各部分的信息如同网络一样连为一体,其主要功能如下:

(1)为推进器、液压源、海水泵及照明灯提供直流电源,为作业工具提供备用电源;

(2)为水声设备、运动控制系统、传感器及载人球壳内的各种设备提供直流电源;

(3)通过接线箱、水密电缆及水密接插件将载人潜水器上所有用电设备及信息流构成一个整体;

(4)对有关箱罐进行泄漏(或漏水)报警,对有关设备进行用电安全保护。

电力配电系统可以分为蓄电池箱、充电接线箱以及水密接插件和水密电缆三个组成部分。

2.3.1 蓄电池箱

作为"蛟龙"号心脏的锌银电池,具有比能量高、放电电压平稳和安全可靠等特点,为潜水器水下作业、通信及应急保障提供了充足的电力供应。锌银电池已应用于日本"SHINKAI6500"号、中国"蛟龙"号等载人潜水器。

由于单只电池电压较低,为组成设备所需的工作电压(本潜水器分为110 V和24 V),必须将其串联成蓄电池组,存放这些蓄电池组的容器即为蓄电池箱。为了承受深海的高压,应用于载人潜水器上的蓄电池箱和电池一般采用充油压力补充式的耐压结构。

蓄电池箱(图2.26)采用上盖皮囊式充油补偿结构,高压环境下,外压升高,压力通过皮囊传递到箱内,补偿油压缩,皮囊内陷,箱体内、外压平衡。此外蓄电池放电时会有少量气体析出,在水下高压环境下,气体被压缩,体积较小,潜水器上浮时,水压逐渐减小,气体体积逐渐增加,当回到水面时,气体恢复到常压下的体积。因此,皮囊设计时必须考虑这部分气体体积的增加部分,所以补偿皮囊的补偿功能应是双向的。此外还应考虑温差引起的热胀冷缩产生的体积变化。

蓄电池箱的补偿皮囊上设有手动放气口和单向阀,其中单向阀是作为安全阀使用的,当内压意外增大时,单向阀打开起保护作用。皮囊上的放气口除充油时做手动放气外,在电池放电回到甲板后,该口可连一根塑料管,引出箱内电池析出的气体,另外在电池充完电后,还可将该塑料管连到真空泵,抽出箱内积聚的气体。此外箱体底部装有放油口,其作用一是电池维护时,放出箱内补偿油;二是在电池充放电后,抽出气体后再补液使皮囊鼓足

(基本无内压),电池充放电时均有气体析出,从而会带出少量电解液。而电解液密度远比补偿油大,因而都沉淀在底部,放出补偿油时,电解液会首先排出,保护了蓄电池箱绝缘性能。

(a)　　　　　　　　　　　(b)

图 2.26　蓄电池箱结构简图

蓄电池箱内除通过串并联方式组合而成的电池组外,一般还包括交直流逆变器、直流接触器以及固态继电器等电子元器件。

接触器是作为供电回路通断保护用的电气设备,通过对其电磁线圈的供电与否来控制电路触点的通断,通常又将通过触点的电流是直流电或交流电来分别称其为交流接触器或直流接触器。其中由于直流电的特点,当直流接触器触点通有大电流要将触点断开时,将会产生较大的电弧,为避免电弧烧坏触点,必须设有机构复杂的消弧室。

固态继电器是电子型继电器件,它通过弱小(毫安级)的直流控制信号来控制大电流(几十至几百安培)回路的通断。根据主回路的电流类型又可分为交流固态继电器和直流固态继电器,本潜水器中使用的是直流固态继电器。

2.3.2　充油接线箱

接线箱是一套装备中常用的电气设备,其功能是汇总并转接各种电气信号,以达到优化电气线路的目的。接线箱通常是一只金属盒子,两侧是插座,盒子内有端子排,以连接电气线路。

载人潜水器上的接线箱是直接暴露在海水之中的,需要承受最大达几十兆帕的外压,如果接线箱采用耐压结构形式,需要加大箱体的壁厚,并且要设计成圆筒状,这样就增加了接线箱的整体质量和体积,给总布置带来很大麻烦。由于接线箱内的元器件都是开发式结构,可以承压,并且耐油性较好,因此,目前多采用充油式压力补偿的结构设计形式。

充油式压力补偿的设备一般采用外接补偿器的方式,比如机械手,这种补偿方式的优点是技术成熟,性能可靠,但需要外接油管,并且补偿器需要占用一定空间来安装固定。我国的载人潜水器采用创新的压力补偿方式,即补偿膜式压力补偿方式,补偿膜选用厚度为3 mm,较软的耐油有机塑料,补偿膜位于侧面,充满油后内压达到约 0.04 MPa,此时补偿膜

23

向外凸起,当潜水器下潜时,随着深度增加,补偿膜逐渐向内凹陷,从而达到内、外压平衡。这种压力补偿方式结构简单,安装方便,便于维护。补偿膜式充油接线箱如图 2.27 所示。

图 2.27　补偿膜式充油接线箱

2.3.3　水密接插件和水密电缆

水密接插件和水密电缆是水下装备专用的电气、光纤连接器和电缆,作为水下供电传信的关键节点,起着贯穿耐压壳体、连接电子装置和作业装备、分离光电信号的作用,是水下供电传信的"关节"。为保证电气线路在水下工作的安全可靠,水密接插件和水密电缆的水密性能是非常重要的。

水密接插件和水密电缆可以分为充油式和非充油式两种类型,充油式水密接插件和水密电缆在 71.5 MPa 的高压下容易变形,可靠性较低,一般适用于 4 000 m 以浅的潜水器,7 000 米级载人潜水器采用的非充油的普通水密接插件和水密电缆是由美国 IMPULSE 公司生产的。

我国使用的水密接插件和水密电缆有 MST 型、MHD 型、IE55 型和 BH/IL 型四种型号,其中 MST 型和 MHD 型是金属外壳型,IE55 型是橡胶铸模金属外壳型,BH/IL 型是橡胶铸模型。下面分别介绍这四种类型的水密接插件和水密电缆的结构形式与工作原理。

1. MST 型和 MHD 型水密接插件和水密电缆

MST 型水密插座和水密插头的结构图分别如图 2.28、图 2.29 所示。

由图 2.28 可以看出,MST 型水密插座是由金属外壳、环氧内核、密封圈、卡环、平垫等附件组成的。其中,金属外壳有足够的强度,能够承受外界海水的压力而不变形,环氧内核是电气线路连接的通道,通过密封圈 c 和 d、卡环和平垫被紧密地固定在金属外壳内,确保环氧内核前端或后端也能承受一定的压力。当水密插座安装在设备上后,密封圈 e 和 f 分别做端面密封和径向密封,确保外界的海水不会沿水密插座的安装面进入设备内部;当水密插头插到水密插座上后,密封圈 a 和 b 分别做端面密封和径向密封,确保外界的海水不会从水密插头与水密插座的结合面进入水密电缆和水密插座内部。

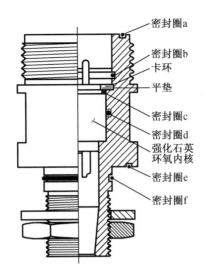

图 2.28　MST 型水密插座结构图

由图 2.29 可以看出，MST 型水密插头由金属壳体、金属螺套、环氧内核、硫化浇铸件、密封圈、平垫、卡环和定位环等附件组成。其中，金属壳体具有较大的强度，可以承受外界海水的压力；硫化浇铸件是在水密插头加工时，通过专用模具用硫化胶水浇铸而成，待其完全干透之后，具有一定的强度，可以承受很高的外压，并且有一定的柔韧性；环氧内核是水密插头内外电气线路的连接通道，其尾端和水密电缆内部的电线连接，外端是插孔，可以和水密插座的插针紧密连接，通过密封圈、平垫与卡环紧密地固定在金属壳体和硫化浇铸件之间，承受外压时，其尾端的硫化浇铸件将越压越紧；金属螺套是活动的，通过定位环和树脂垫圈固定在水密插头上，在水密插头插到水密插座上时，通过拧紧金属螺套来保证水密插头紧密地插到水密插座上。

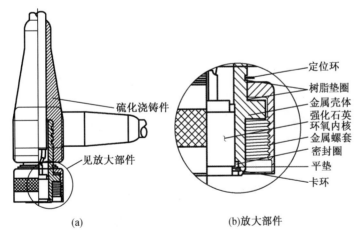

（a）　　　　　　　　　　　　　（b)放大部件

图 2.29　MST 型水密插头结构图

MHD 型水密接插件和水密电缆结构形式基本上和 MST 型一致，不同的是其内部芯线数量更多。

2. IE55 型水密接插件和水密电缆

IE55 型水密插座和水密插头的结构图分别如图 2.30、图 2.31 所示。

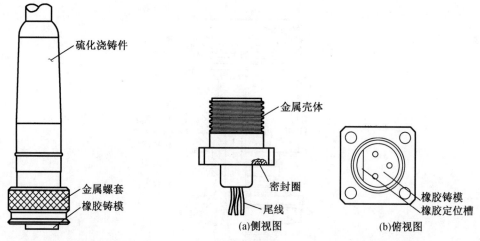

图 2.30　IE55 型水密插座结构图　　　　　图 2.31　IE55 型水密插头结构图

由图 2.30 可以看出,IE55 型水密插座由金属外壳和内含金属芯线的橡胶铸模组成。其金属外壳确保水密插座在受到外压时不会损坏,橡胶铸模也是通过模具在金属外壳上浇铸成形的,其尾部在连接好电线后也用硫化胶水密封。

由图 2.31 可以看出,IE55 型水密插头由硫化浇铸件、金属螺套和内含金属芯线的橡胶铸模组成,当水密插头插上水密插座后,再拧紧金属螺套,水密接插件之间结合面为较为柔软的橡胶,受到外压时越压越紧,从而确保了海水不会进入水密插座和水密电缆内部。

3. BH/IL 型水密接插件和水密电缆

图 2.32 是 BH/IL 型水密插座和水密插头的结构图。

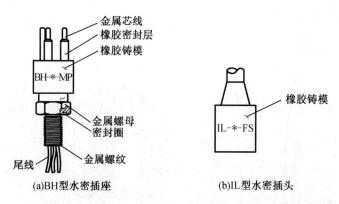

(a)BH型水密插座　　　　　　　　　　(b)IL型水密插头

图 2.32　BH/IL 型水密插座和水密插头的结构图

由图 2.32 可以看出,BH/IL 型水密接插件和水密电缆的结构形式非常简单,其中 BH 型水密插座由金属外壳(金属螺母和金属螺纹为一体),内含金属芯线的橡胶铸模,以及密封圈组成;IL 型水密插头由橡胶整体铸模而成。

水密插座安装到设备上后,其金属螺母上的一只密封圈可以起端面密封作用,确保海水不会沿安装面进入设备内部;水密插头插上水密插座后,主要依靠每根金属芯线外面的一层橡胶密封层,挤住插头上的芯线孔的内壁,并且随外界压力的增加,越压越紧,从而起到密封作用,确保海水不会沿芯线的插针进入接插件内部。

2.4　导航控制系统

控制系统与其他分系统结合实现载人潜水器的运动操纵、手动和自动驾驶、机载设备控制、系统状态检测、故障检测报警和所有电气设备的数据显示、交换和记录,构成一套适应深海作业需要的先进人-机系统和自动控制系统,最大限度地提高潜水器使用效率,降低操作人员的劳动强度,同时提供完善的信息以实现设备作业过程记录和保障设备作业安全。

本节以"蛟龙"号为例,简要介绍载人潜水器控制系统性能指标。

1. 导航定位系统

(1)深度:0.01%;

(2)角度:0.1°;

(3)纵倾:0.2°;

(4)横倾:0.2°;

(5)相对于作业目标的位置:待定;

(6)定位精度:参见水声系统精度指标;

(7)质量:小于5 kg(不包括水声设备)。

2. 航行控制系统

(1)自动定深:范围0~7 000 m、精度±20 cm(控制精度);

(2)自动定高:范围0.5~50 m、精度±20 cm;

(3)自动定航:范围0°~360°、精度±1°;

(4)自动纵倾:范围0°~20°、精度±2°;

(5)自动避碰:可自动躲避在1~50 m设定的障碍物;

(6)悬停就位:可实现在较小的环境流下,对直径50 mm的热液喷口进行15 min稳定作业的悬停就位;

(7)舱内设备质量:小于10 kg。

"蛟龙"号显控系统综合显示页面如图2.33所示。

7 000米级载人潜水器导航与控制系统总体上分为水面和水下两个单元,如图2.34所示,其中实线方框内为控制系统部分。

观导与控制系统水面单元和水下单元之间经由声学系统的水声通信机进行数据通信。下传信息主要包括水面支持母船的导航定位信息、潜水器的超短基线定位信息,上传信息主要包括潜水器位置信息(深度、高度)、姿态信息(航向、纵倾、横摇)、航行信息(速度)以及重要状态信息等。

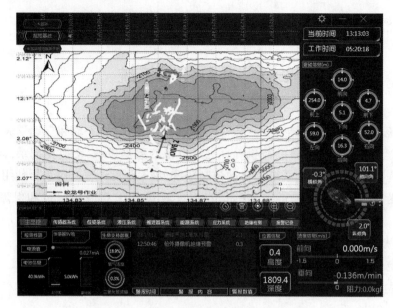

图 2.33 "蛟龙"号显控系统综合显示页面

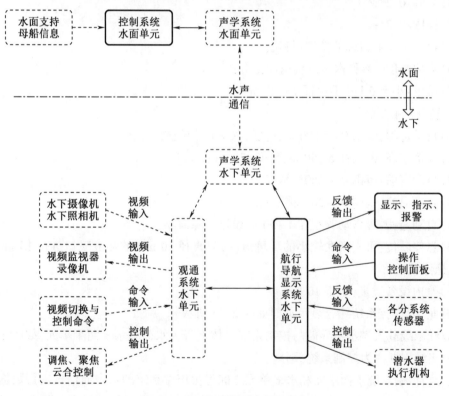

图 2.34 控制系统总体结构示意图

观导与控制系统水面单元的主要包含导航定位分系统、综合信息显控分系统的水面单元部分,还包括母船甲板视频单元。其主要功能如下:

收集水面支持母船发来的母船导航定位信息、潜水器定位信息以及其他综合信息,并转发给声学系统水面单元;收集经声学系统转发的控制系统水下单元发来的潜水器姿态、状态信息;记录并显示上述信息;潜水器航行信息(记录于活动硬盘)回放;母船甲板视频摄像、显示、录像。

控制系统水下单元主要包含观察与通信分系统(观通系统)、导航定位分系统、航行控制分系统、综合信息显控分系统的水下单元部分。

2.4.1 硬件体系结构

控制系统硬件体系结构分为控制系统水面单元和控制系统水下单元两个部分。

控制系统水面单元位于水面控制间内的 19 in 标准机柜上,主要包括计算机和视频单元两部分。控制系统水面单元的硬件体系结构示意图如图 2.35 所示。

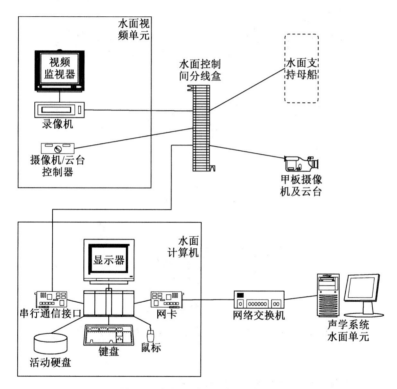

图 2.35 控制系统水面单元的硬件体系结构示意图

控制系统水下单元位于潜水器载人舱和计算机罐内。载人舱内主要包括显示与记录计算机、控制计算机、I/O 节点控制器(计算机)及其 I/O 模块、网络交换机、各种操作面板、各种报警指示面板、罗盘、光纤陀螺、倾角仪等设备。计算机罐内主要包括 I/O 节点控制器(计算机)及其 I/O 模块、漏水传感器、温度传感器、电源管理、各种输入信号调理器、各种输出信号驱动器等。另外,还包括一台 CTD(温度、盐度、深度)传感器。控制系统水下单元的硬件体系结构示意图如图 2.36 所示。

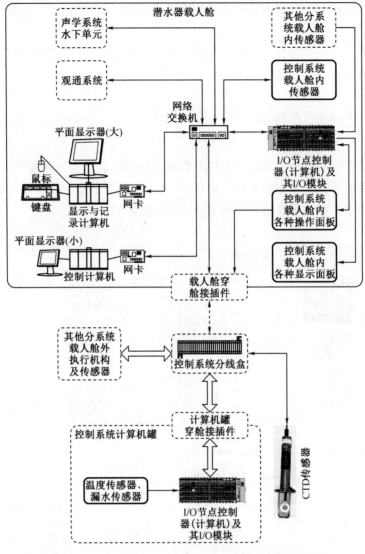

图 2.36 控制系统水下单元的硬件体系结构示意图

2.4.2 软件体系结构及数据流程

与硬件体系结构类似,控制系统软件体系结构也分为控制系统水面单元和控制系统水下单元两个部分。

控制系统水面单元的软件运行于控制系统水面计算机内。计算机操作系统选定为 Microsoft Windows 2000 Professional,软件编程调试语言选定为 Microsoft Visual C/C++ 6.0 (用于底层控制和通信)和 Microsoft Visual Basic 6.0(用于人机界面显示)。软件功能主要包括外部通信(串口和网络)、导航定位处理、故障检测报警、数据记录、历史数据回放、人机界面显示等。控制系统水面单元的软件体系结构及数据流程示意图如图 2.37 所示。

控制系统水下单元的软件分别运行于显示与记录计算机、控制计算机,以及两个 I/O 节点控制器(计算机)内。控制系统水下单元的软件体系结构及数据流程示意图如图 2.38 所示。

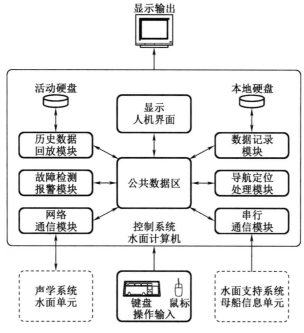

图 2.37　控制系统水面单元的软件体系结构及数据流程示意图

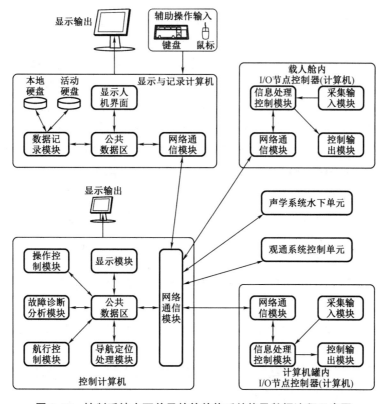

图 2.38　控制系统水下单元的软件体系结构及数据流程示意图

显示与记录计算机操作系统采用 Microsoft Windows 2000 Professional,软件编程调试语言采用 Microsoft Visual C/C++ 6.0(用于底层控制和通信)和 Microsoft Visual Basic 6.0(用于人机界面显示)。软件功能主要包括网络通信、数据记录、人机界面显示等。

控制计算机操作系统采用 Microsoft Windows CE,软件编程调试语言采用 Microsoft EBD C/C++。软件功能主要包括网络通信(作为通信中心节点)、导航定位处理、故障诊断分析、航行控制、操作控制、简单界面显示等。

I/O 节点控制器(计算机)的操作系统及软件编程采用专用软件。软件功能主要包括网络通信、信息处理与控制、传感器信号采集输入、控制信号输出等。

2.4.3 控制系统外部接口

1.控制系统与水面支持系统

水面支持系统向控制系统水面单元提供:

(1)水面支持母船的导航定位信息:航迹、航态、姿态(包括横摇、纵倾、航向等)、载人潜水器的超短基线声学定位信息、GPS(全球定位系统)信息等;

(2)水面支持母船的动力定位信息;

(3)水面支持母船所处位置的水文、气象等环境信息;

(4)水下的温度、盐度、深度、水流速度信息等。

信息通信采用 10/100 Mbit/s 自适应以太网络。串行通信时,水面支持系统负责将信号传送至控制间分线盒处,控制系统负责将信号由控制间分线盒引入控制系统水面计算机。

2.控制系统与声学系统

控制系统水面单元与声学系统水面单元之间,正向数据有水面支持母船的导航定位信息、载人潜水器的超短基线声学定位信息以及其他相关信息等,反向数据有载人潜水器的位置信息、姿态信息、重要状态信息等。信息通信采用 10/100 Mbit/s 自适应以太网络。

控制系统水下单元与声学系统水下单元之间,正向数据有载人潜水器的位置信息、姿态信息、重要状态信息等,反向数据有水面支持母船的导航定位信息、载人潜水器的超短基线声学定位信息、运动传感器信息、多普勒测速声呐信息、避碰声呐信息、潜水器高度信息以及水下声学设备状态信息(如工作状态、温度、漏水)等。信息通信采用 10/100 Mbit/s 自适应以太网络。另外控制系统水下单元还要负责载人舱外声学设备的 24 VDC(直流电)供电,由控制系统分线盒接出。

3.控制系统与推进器系统

控制系统输出 1 路继电器控制信号,由计算机罐经控制系统分线盒至配电罐,控制所有 7 个推进器的 110 VDC 供电。

控制系统输出 7 路模拟量电压信号,由计算机罐经控制系统分线盒分别至 7 个推进器,控制 7 个推进器的转向和转速。

为了更好实施潜水器的运动控制,推进器系统向控制系统提供所选各种推进器的动力特性(包括正反不同转向),以及各推进器安装的物理位置、角度、力臂等参数。

4.控制系统与潜水器结构

载人舱内控制系统设备的安装及配线须与总体配合进行。

载人舱外的计算机罐由结构系统提供(包括水密穿舱件的安装),计算机罐内的设备结构框架、安装、配线等由控制系统负责。

载人舱外的控制系统分线盒结构、油补偿、水密穿壁件的安装由结构系统负责。CTD(传感器)及其水密电缆由控制系统提供,安装由结构系统负责。

为了更好地实施潜水器的运动控制,潜水器结构系统向控制系统提供 3 个轴向运动的迎流阻力中心、艏向及纵倾回转中心、潜水器的运动学和动力学模型等参数。

5.控制系统与动力及配电系统

载人舱内控制系统设备的供电为 24 VDC,接自配电箱,由动力及配电系统统一管理。

载人舱外计算机罐的供电为 24 VDC,经由控制系统分线盒接自配电罐,供电开关继电器位于配电罐内,由载人舱内独立引线控制。

6.控制系统与其他分系统

载人舱内,生命支持系统的传感器信号接至分线箱,观通系统、声学系统的网络通信线直接接至网络交换机。

载人舱外,计算机罐的电源输入/输出、信号输入/输出均接至控制系统分线盒,因此,所有分系统与控制系统相关的电源、信号线都各自接到控制系统分线盒,再统一进入计算机罐。

2.5　声　学　系　统

由于电磁波在海水中衰减很快,声波成为水下探测、信息传输的主要手段。根据"蛟龙"号载人潜水器应用需要和声学系统的总体技术要求,"蛟龙"号载人潜水器声学系统由 9 种 16 部声呐组成。载人潜水器声学系统按空间位置可分为水面部分、潜水器舱外部分和潜水器舱内部分,其基本组成如图 2.39 所示。水面部分包括水面主控计算机和布放声呐阵,它需要与远程超短基线定位声呐和母船导航定位系统协同工作。

根据载人潜水器应用需要,载人潜水器水下声学系统由 6 种声呐外加一部声呐主控器和一台运动传感器组成。6 种声呐包括水声通信机、高分辨率测深侧扫声呐、避碰声呐、远程超短基线定位声呐水下应答器、声学多普勒流速仪和前视成像声呐。声呐主控器用于多个声呐的控制和协同,声学系统设备布置如图 2.40 所示。运动传感器由声学系统和航行控制系统共用,既用于声学数据修正,又用于航行控制。

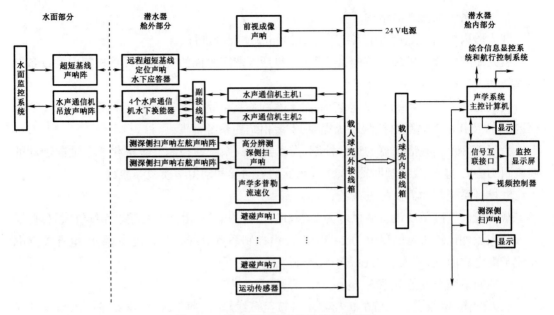

图 2.39　载人潜水器声学系统组成框图

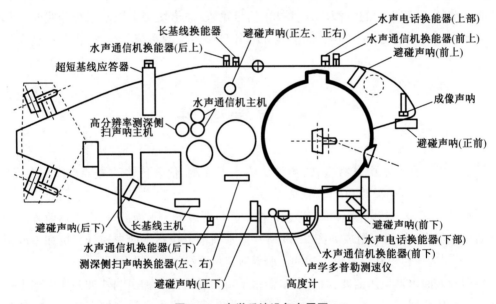

图 2.40　声学系统设备布置图

1. 水声通信机

水声通信机用于在载人潜水器与水面支持母船之间建立实时通信联系。通过它，母船向载人潜水器发出指令，载人潜水器向母船传输各种数据、语音和图像，包括彩色电视图像和声学图像，预计每 10 s 可以传送一幅彩色图像。

"蛟龙"号水声通信系统是综合性的通信系统，采用了相干通信技术、非相干通信技术、扩频技术和单边带调制技术 4 种通信制式，支持多种类型信息的传输。并且 4 种制式的信息发送和接收过程完全自主识别完成，不需要人工干预进行切换，极大地简化了操作。

2. 水声电话

水声电话是"蛟龙"号载人潜水器水声通信机的重要补充。通过它,潜航员与水面指挥人员可以通过语音交流试验和作业情况,保证了水面支持母船与潜水器之间的水声电话通信联系。

水声电话采用半双工通信方式,讲话人的语音经送话器转变成电信号后,先被放大,并经滤波器截取 300~3 000 Hz 的语音频率成分,经数字信号处理形成单边带信号并加入导频。声波在水下传播到接收端的换能器,经过接收电路的处理后进行 A/D 转换,预处理部分完成前置放大、前置滤波、限幅滤波、自动增益控制等模拟信号调理,然后经信号解调处理模块进行电话信号的解调、解码。解调后的信号进行降噪声处理,经适量放大后送扬声器收听。

3. 超短基线定位声呐

超短基线定位声呐用于水面支持母船对"蛟龙"号载人潜水器的定位,水面支持母船可以实时监控潜水器相对于水面支持母船的位置和相对于大地的坐标,继而及时采取措施。定位数据通过水声通信机发送给潜水器,用于水下导航。

超短基线定位声呐有两种工作方式:一种是应答模式,水面分别向各应答器发送询问信号,各应答器接收到针对自己的询问信号后发送应答信号,通过计算发出询问信号到收到应答信号的时间差来计算距离;另一种是触发模式,如果有缆则出发脉冲通过电缆触发应答器,如果无缆则需要采用高精度的同步时钟来同步触发应答器和水面系统,通过计算同步脉冲出发时刻收到应答信号的时间差计算距离。在"蛟龙"号载人潜水器中采用同步时钟触发方式,在水面支持母船和潜水器上都安装了高精度的同步时钟以保证在整个下潜任务期间出发时刻严格一致。

超短基线定位声呐基阵安装在水面支持母船的底部,由中心的发射换能器和周围的 4 个接受水听器组成。潜水器部分由超短基线应答器和同步时钟组成。超短基线应答器安装在潜水器的背部,其半球形指向性可覆盖整个上半空间,保证在水下各种深度和倾角状态下定位系统都能够正常工作。超短基线测量的潜水器轨迹如图 2.41 所示。

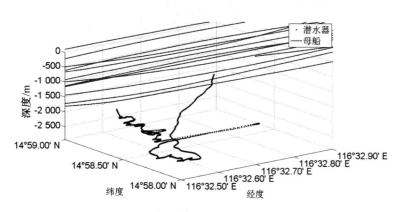

图 2.41　超短基线测量的潜水器轨迹

4. 高分辨率测深侧扫声呐

高分辨率测深侧扫声呐安装于载人潜水器的两侧,用于测量海底的微地形地貌和海底、水中的目标,实时绘制出现场的三维地图。它能在复杂的海底工作,给出目标的高度,因此十分适合在钻结壳区域勘察工作和在大洋热液场测量热液喷口"烟囱"的几何尺寸。测深侧扫声呐工作原理如图 2.42 所示。测深测扫结果如图 2.43 所示。

(1)成像声呐

在载人潜水器的前部装有机械扫描成像声呐,用于探测前方水中目标及海底地貌,供驾驶员对周围地形环境进行超视距观察,一方面搜索目标,另一方面规避障碍物,保证潜器安全。成像声呐通过一个具有扇形波束特性的换能器发射短脉冲,到达海底后被反射回来。换能器通过机械转动来回扫描海底,把不同方向的回波组合在一起就获得了海底的声图。成像声呐工作图如图 2.44 所示。

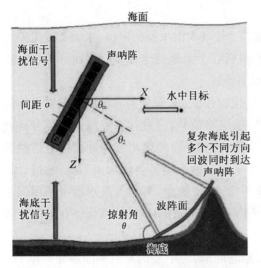

图 2.42　测深侧扫声呐工作原理

图 2.43　测深侧扫结果

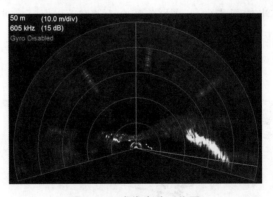

图 2.44　成像声呐工作图

(2)声学多普勒测速仪

声学多普勒测速仪安装在潜水器的腹部,换能器头朝下,主要用于测量潜水器相对于海底的运动速度以及潜水器下方的海流剖面。现场的流畅数据和潜水器相对海底的运动速度是载人潜水器航行控制和实现动力悬停所必需的。声学多普勒海底测量数据如图 2.45 所示。

（3）避碰声呐

避碰声呐安装在载人潜水器的前部和侧面，能够测量潜水器上、下、左、右、前、后各方障碍物的距离，帮助驾驶员规避障碍物，保证潜水器安全，并为航行控制提供距底高度数据。避碰声呐距离监测点，如图 2.46 所示。

（4）高度计

高度计安装在潜水器的腹部，换能器头向下，提供潜水器相对于海底的距离，测量范围为 0~50 m，其精度为 0.1%，用于定高航行控制。与避碰声呐的工作原理类似，高度计也是一种回波测距声呐。

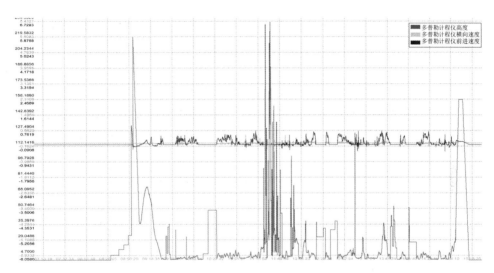

图 2.45　声学多普勒海底测量数据

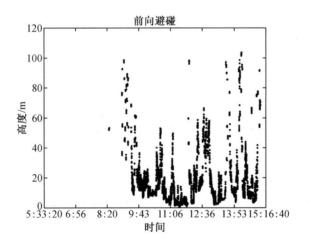

图 2.46　避碰声呐距离监测点

2.6　液压系统

液压系统是载人潜水器上重要的动力源,主要为应急抛弃系统、可调压载系统、纵倾调节系统、作业系统以及导管桨回转机构等提供动力。它通过有效的压力补偿,可以在高压环境下工作,而不需要设计坚实的耐压壳体结构来保护。其安装在潜水器的非耐压结构支架上,可为潜水器设计节省更多的耐压空间,降低耐压球壳结构设计的难度,提高整个潜水器的安全性和可靠性。

液压系统以液压油为工作介质,把直流电动机的机械能先转化为工作介质的压力能,再由传送管道将具有压力能的工作介质输送到执行机构(油缸、油马达),最后由执行机构推动负载运动,把液压油的压力能再转化为工作机构所需的机械运动和动力。其主要为18路执行机构提供动力,分别为主从式机械手、开关式机械手、主从式机械手抛弃装置、开关式机械手抛弃装置、可调压载系统海水阀(4只)、压载水箱注排水系统截止阀(2只)、纵倾调节系统泵源、导管桨回转机构、潜钻、潜钻抛弃装置、下潜抛载机构、上浮抛载机构、水银释放阀以及主蓄电池电缆切割装置。

"蛟龙"号载人潜水器液压系统主要技术指标和性能参数如下。

(1)工作环境:深海7 000 m。

(2)具备良好的防腐特性。

(3)系统最大消耗功率:约12 kW。

(4)工作压力:21 MPa。

(5)系统最大输出流量:25 L/min。

(6)电机工作电压:+110 VDC,+24 VDC。

(7)系统具有输入输出管系自动压力补偿功能。

(8)应急泵源:+24 VDC工作电压,工作压力21 MPa,流量1.2 L/min。

2.7　压载与纵倾调节系统

压载与纵倾调节分系统通过赋予潜水器调节其自身浮力与纵倾的能力,从而满足它正常航行与作业的诸多要求:①使潜水器在水面具有足够的干舷高度,以便安全地运送人员和设备;②使潜水器能容纳一定附加质量,能以合适的速度在水下进行上浮/下潜或坐底;③使潜水器能适应倾斜的海底地形。

目前国产载人潜水器上的压载与纵倾调节分系统主要分为压载水箱注排水子系统、可调压载子系统和纵倾调节子系统。前两者负责调节潜水器浮力,而后者调节系统纵倾角度。

2.7.1　压载水箱注排水子系统

压载水箱注排水子系统的设置是为了给潜水器提供储备浮力,保证其在水面状态时有一定的干舷高度。适当的干舷高度既便于潜水器布放回收和操纵者在水面出入耐压舱,又能确保潜水器在正常海况下(3 级海况或按设计者确定)不出现任何危险。一般情况下,主压载水舱容积,也就是储备浮力,大概占排水量的 10%~15%。

压载水箱注排水子系统需要提供大的浮力变化量(正浮力和负浮力),应能很快地而且是均匀地充满水或排出水。现有的此类系统都是通过采用气体吹除的方法进行排水。吹除气源通常采用压缩空气,也有采用燃气或其他化学方法产生的气体。7 000 米级载人潜水器压载水箱注排水子系统原理图如图 2.47 所示。

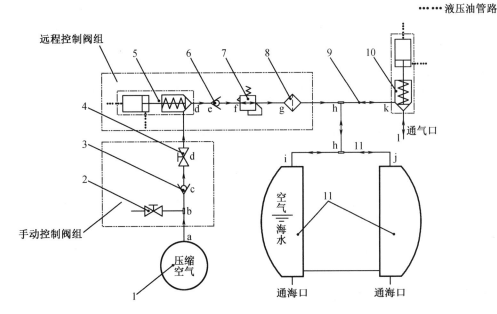

1—高压气罐 ; 2,4—手动截止阀 ; 3—单向阀 ; 5—液控高压截止阀 ; 6—单向阀 ;
7—减压阀 ; 8—过滤器 ; 9—管路系统 ; 10—控低压截止阀 ; 11—压载水箱。

图 2.47　7 000 米级载人潜水器压载水箱注排水子系统原理图

由于空气的压缩性较大,因此它仅仅适用于较浅的深度范围。随着下潜深度增加,吹除压力必然加大,所需高压气瓶的质量和体积也就增加,并导致系统的复杂化。

对于深度在 2 000 ft 以内的潜水器可以采用高、低压压缩空气系统来吹除压载水箱和压载水舱的压载水。低压部分用于潜水器在水面时吹除压载水箱的水 ; 高压部分用于水下应急情况时吹除压载水箱或在水下吹除压载水舱里的水。压载水舱注排水阀组如图 2.48 所示。

对于大深度潜水器,一般仅采用上面提到的吹除压载水箱的低压吹除系统,它在这里被称为压载水箱注排水子系统。而对于压载水舱的注排水则使用海水泵来实施。压载水箱注排水子系统一般由高压气罐、充气阀、通气阀、通海阀、减压阀及管路等组成。

图 2.48　压载水舱注排水阀组

　　潜水器在水面时,压载水箱是空的。通气阀位于压载水箱的顶部,通海阀设在底部。通海阀可以是自由进水,也可以不是自由进水。当潜水器要下潜时,操作人员将通气阀打开,海水通过进水口进入压载水箱,压载水箱内空气便从顶部排出。大多数潜水器当压载水箱注满水后,指示表或刻度盘会显示出来,这时就可以将通气阀关闭。压载水箱注满水后,潜水器处于中性浮力或稍有负浮力的状态后开始下潜。如果压载水箱注满水后,潜水器处于中性浮力状态,则只要将较少压载量的压载水舱注水,或者加上可释放的重物便可使潜水器获得下潜负浮力。只有当它回到水面附近需要增加干舷高度时,才将压载水箱的压载水吹除。

　　压载水箱位于潜水器的左右两舷或顶部,在潜水器的重心附近,以免在进排水时产生纵、横倾。压载水箱尽量靠近耐压壳体的上部,以便潜水器浮在水面后,使浮心相对于重心有较高的位置,从而获得潜水器的稳性。

　　压载水箱注排水子系统属于气动传动控制系统。与常规的陆上气动控制系统类似,它所处的使用环境非常恶劣,需要承受深海高压,以及耐海水腐蚀。不过,系统中使用的一些气动元件与传统气动元件结构类似。

2.7.2　可调压载子系统

　　在现代潜水器上,为了克服在水下时因艇体质量或浮力改变而产生的不利影响,一般都需要设置浮力调节系统或可调压载子系统。在实际使用过程中,潜水器的艇载设备会根据任务内容发生所变动,并且在进行海底科考活动时还需要进行采样作业,其实际质量在潜航过程中并非恒定不变的。海水是一种复杂的流体介质,其特性(如压力、温度、盐度等)会引起海水密度的变化;随着下潜深度的变化,潜水器耐压结构会发生弹性变形从而引起排水体积的变化,所以潜水器所受浮力也会经常改变。上述质量与浮力的变化会破坏水下平衡条件,导致潜水器发生非正常的上浮/下潜,严重的时候还会产生难以挽回的损失。另外,当潜水器需要下潜到新的深度,在海底坐靠停留,或结束任务返回水面时,就需要主动打破水下平衡条件,使其以合适的速度下潜/上浮。因此,为了保证潜水器在水下安全航行和作业,就需要对其所受浮力/重力进行微调。

　　这种在小范围内对潜水器浮力/重力的调整一般是通过浮力调节系统或可调压载子系

统来进行。浮力调节系统是一种在不影响潜水器水下质量的前提下,通过改变它的排水体积在一定范围内来调节其浮力的设备。与此相反,可调压载子系统是一种在不影响潜水器排水体积的前提下,能在一定范围内调节它的质量的设备。这两种设备都能使潜水器可以根据作业要求在一定深度范围内主动进行上浮/下潜,或保持中性浮力状态。在同一艘潜水器上一般只需装备一种调节装置。

浮力调节系统主要由下列部件组成:能承受最大深度压力的耐压油箱、橡皮囊、油泵、阀件和管系。当所有的油都在耐压油箱里时,橡皮囊受到压缩,排水体积最小,系统具有最小正浮力。当把油抽到橡皮囊里时,系统的质量不变,而排水体积增大,浮力就相应增加。当油从耐压油箱内全部抽出来后,系统就获得最大正浮力。当油从橡皮囊往回抽时,情况正好相反。不过,由于橡皮囊可承受的液压力有限,从而限制了潜水器下潜深度。目前,浮力调节子系统的可靠工作深度不超过 2 000 m。正是由于这个因素,在大深度潜水器中一般选用可调压载系统,而非浮力调节系统。

可调压载子系统通过施加补足力的方式来调节潜水器的质量,要求具备增大自身质量和减小自身质量的双重功能。在潜水器上布置耐压水舱,其容积等于最大可调压载量。当需要增大质量的时候,一般是将海水从外界注入耐压容器。当需要减小质量的时候,有两种办法:一种是利用高压海水泵将海水排出;另一种是投弃固体载荷。在这两个过程中,潜水器排水体积均没有发生变化。

法国的"鹦鹉螺"号深海载人潜水器的可调压载子系统就采用了投弃固体载荷的方法来确保潜水器上浮。存储这种可弃压载的容器上部为一圆柱体,下部呈漏斗形,内部装填了生铁球颗粒。在漏斗的末端安装有一个电磁铁,当系统断电,磁场消失时,生铁球颗粒将在重力作用下自行抛弃。而一旦系统通电,磁场生成,则这些生铁球颗粒将被吸附住,压载停止抛弃。这样,操作人员就可以方便地控制潜水器上浮。

不过,在大深度载人潜水器上应用最多的可调压载系统都是直接利用高压海水泵将海水注入或排出可调压载水舱。海水泵工作压力可达 100 MPa 以上,且在不同工作压力下,其输出流量基本保持恒定。用海水泵来进行潜水器质量调节,可以不受海洋深度限制,且系统简单、体积小、质量小,具有独特的使用优势。因此,海水泵是目前大深度载人潜水器可调压载系统的最佳选择。

美国的"阿尔文"号载人潜水器具有 4 500 m 的最大下潜深度,是美国海洋科学界最重要的科学考察装备之一。它是世界上下潜次数最多的大深度载人潜水器,为人类探索深海世界,立下了不可磨灭的功勋。在 1964 年建造之初,它使用了浮力调节系统(图 2.49),最大下潜深度为 2 000 m。1973 年,它放弃浮力调节系统,换装上了一套可调压载子系统,其最大下潜深度增加到了 12 000 ft。

"阿尔文"号目前装备的可调压载子系统(图 2.50)的核心是一个最高工作压力可达 42 MPa 的单向柱塞式海水泵,它负责将海水注入或排除可调压载水舱。海水的流向由一组 4 个截止阀控制,AD 通电(BC 断电)进行海水的排出动作,BC 通电(AD 断电)进行海水的注入动作。可调压载水舱在下水前预先充满了高压空气,所以它在水下工作过程中由于空气的压缩,内部压力有可能达到很高,这样就有利于减小海水泵进出口压差。出口处 30 MPa 的安全阀能起保护作用。系统中所有的截止阀为油压驱动形式,其控制油路由单独的一套小型液压系统(5 MPa,0.4 L/min)提供。这些海水阀均可以承受 42 MPa 的压力,并且具有很好的耐海水腐蚀性能。海水泵出口处的压力平衡阀用来控制工作时泵的压力至少达到 1 MPa 时整个回路才打开。为实现电机的低负载启动,系统中还设置了旁通回路。另外,还设有液位控制机构,在系统工作到某一设计极限工况时实现自动保护。

日本的"SHINKAI 6500"号最大下潜深度为 6 500 m,是目前世界上工作深度最大的载人潜水器。它的可调压载子系统与"阿尔文"号类似,其不同之处在于省去了可调压载水舱出口处的截止阀和安全阀、浮力开关、单向阀与泵并联的安全阀以及电机空载启动用的换向阀(图 2.51)。不用可调压载舱出口处的截止阀主要原因是其截止阀可靠性较高;而它的可调压载舱在下水前充的是常压空气,工作过程中其内部压力最高只有 1 MPa,所以舱口处安全阀也就省去了;由液位传感器代替原来的浮力开关;控制启动方式的改进使得结构设计更加简单,而可靠性却更高,这也是不用其他元件的原因。

与"阿尔文"号和"SHINKAI 6500"号均不相同,俄罗斯的"和平Ⅰ"号和"和平Ⅱ"号 6 000 米级载人潜水器采用了一种全新的可调压载子系统。可调压载子系统与纵倾调节子系统融合在一起,共同使用分别设置在潜水器首、尾两端的可调压载水舱。艇上配有 2 台能在 6 000 m 下环境工作的高压海水泵,一台流量为 10 L/min,另一台流量为 3 L/min。当使用海水泵站同时对艏、艉可调压载水舱注水或排水时,该子系统执行可调压载功能;当使用海水泵在艏、艉可调压载水舱间进行海水调度时,它又变成了纵倾调节子系统。它的最大可调压载范围是 999 kgf[①],能保证潜水器在水中以 35~40 m/min 的速度进行上浮/下潜运动。

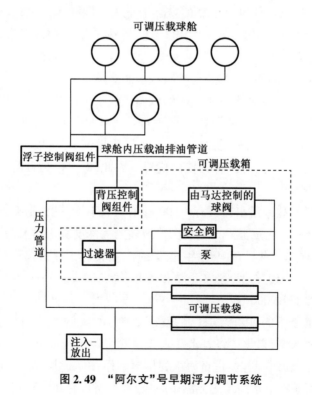

图 2.49 "阿尔文"号早期浮力调节系统

---

① 1kgf=9.806 65 N。

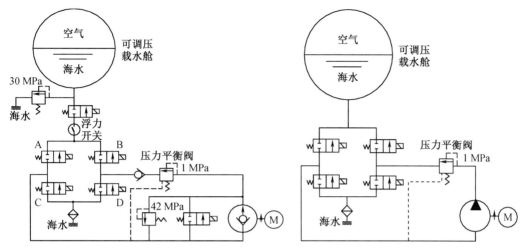

图 2.50　"阿尔文"号的可调压载系统　　　图 2.51　"SHINKAI 6500"号的可调压载系统

2.7.3　纵倾调节子系统

纵倾调节子系统是一套保障潜水器具备在一定范围内主动调控其纵倾角的重要机械设备。当潜水器在水下航行和工作时,常常需要保持平衡状态。由于艇载仪器设备的更换和安装、潜水员出入闸室等原因,可能造成舯倾或艉倾。在这种情况下,为了保持潜水器的平衡,就需要利用纵倾调节子系统,通过在相反一端增减质量或排水量的办法,调节潜水器姿态,返回最初的平衡状态。另外,在某些情况下——增加下潜、上浮速度或与潜艇救生平台对接,潜水器也需要调整自身的姿态,保持一定的纵倾角。因此,对于现代潜水器来说,纵倾调节子系统是一项保障其正常航行与作业的重要艇载系统。

纵倾调节子系统主要是通过改变潜水器重心或浮心的位置来消除或产生纵倾。潜水器的纵稳心高度一般较低,因此只需很少的质量移动,就会明显改变它的纵倾角度。纵倾调节子系统的基本原理主要有两种:一种是将潜水器上的重物从一个位置沿纵轴方向搬运到另一个位置;另一种是在潜水器的一个位置上增加或在另一个位置上释放重物。在潜水器上,常用到的纵倾调整方法有:在耐压舱内搬动重物或水、外部移动水银、可调压载水舱不等量注水、铁丸压载不等量抛弃、移动蓄电池以及外部纵倾调节水舱中水的转移等。

在当今大深度载人潜水器上,主要存在两类纵倾调节系统:一种是移动水银纵倾调节系统,另一种是移动海水纵倾调节系统。

移动水银纵倾调节系统利用水银密度大的特点,调拨一定量的水银,可使潜水器获得较大的纵倾。为了增加纵倾力臂,水银容器一般设置在载人舱外,尽可能靠近舯艉。该系统不占舱室容积,可采用液压油作为调拨水银的媒质。利用艇载液压源,通过对舯艉水银容器的抽油和注油来驱动水银前后移动,使潜水器产生所需要的纵倾。不过,因为水银对很多金属有腐蚀作用,汞蒸汽含有剧毒,因此用水银作为纵倾调节的移动液体会带来许多问题。水银容器和管道、阀件等必须采用耐腐蚀能力强的不锈钢或钛合金材料制成。在支援母船上,必须配备通风良好的专门舱室来安全存放水银。

采用移动水银纵倾调节系统的大深度载人潜水器有美国的"阿尔文"号,法国的"鹦鹉螺"号和日本的"SHINKAI 6500"号潜水器。"阿尔文"号潜水器的水银纵倾调节系统中的油和水银装在三个玻璃钢球中,一个大球在艉部,两个小球在艏部。系统的动力源由一台专用的电动液压油泵提供。为了控制油的流向和流量,系统中装有一只电磁换向阀和两只电磁截止阀,通过电磁线圈控制。油泵和阀的电气控制部分都集成在载人舱中的总控制台上,便于潜航员操纵控制。"阿尔文"号潜水器使用了226.8 kg水银,具备15°范围内的纵倾调节能力。"鹦鹉螺"号和"SHINKAI 6500"号潜水器上的纵倾调节系统都与"阿尔文"号类似。鹦鹉螺号潜水器具备±8°的纵倾调节能力,而"SHINKAI 6500"号潜水器具备±10°的纵倾调节能为。

移动海水纵倾调节系统是在潜水器首尾两端均设置水舱,中间用管路连接起来,用一个海水泵在水舱间调拨流体,以产生纵倾力矩。它的优点是无环境污染,不会对待考察的海洋环境造成危害,对支援母船后勤保障的要求也低。不过,由于海水密度小,因此水舱尺寸会相对较大,将占据潜水器上一定的容积和质量。如果仅作为纵倾调节系统的话,其得益并不大,因此这种纵倾调节系统在早期潜水器上应用并不多。

通过与可调压载系统融合,在俄罗斯6 000米级的"和平 I"号和"和平 II"号深海载人潜水器上采用了一种新型的海水纵倾调节系统。在潜水器的首尾两端分别设置一个耐压水舱,它们既是纵倾调节水舱,又是可调压载水舱。当执行纵倾调节任务时,耐压水舱的通海口全部关闭,一台流量为3 L/min的专用海水泵负责在两个水舱间驱动海水做前后移动,使潜水器产生所需要的纵倾。"和平 I"号和"和平 II"号的纵倾调节范围是±12.5°。

2.8　生命支持系统

由载人潜水器的使命任务特点和生命支持系统的任务与功能分析可知,对乘员舱大气环境参数的控制是生命支持系统最本质和最重要的功能,其中又以氧气供应和二氧化碳清除最为关键。同时,生命支持系统还应包含使舱内空气流动循环、降低舱内环境湿度、改善舱内空气质量的装置。从对生命支持的可靠性要求以及乘员的安全性出发,生命支持系统必须包含应急装置,以作为处置应急情况的手段,对正常工作的装置也是一种冗余备份。

"蛟龙"号生命支持系统的技术指标如下:

1. 主要技术指标

$$生命支持总时间为3 人×84 h=252 人·h$$

其中,正常开放式生命支持时间为3 人×12 h=36 人·h;应急开放式生命支持时间为3 人×60 h=180 人·h;应急口鼻面罩式生命支持时间为3 人×12 h=36 人·h。

乘员舱内氧浓度控制范围:17%~23%。

乘员舱内二氧化碳浓度控制范围:<0.5%(正常工作);<1.0%(应急状态)。

2. 主要性能要求

正常开放式供氧、应急开放式供氧和口鼻面罩式供氧为三套相对独立的装置。其中正常开放式供氧和应急开放式供氧又能旁通,互为冗余。当自动供氧发生故障时,可改用手动补氧。两套二氧化碳吸收装置也互为备用。

氧浓度、二氧化碳浓度、舱室压力、温度、湿度仪表有 4~20 mA 电流模拟信号输出接口，可将这五路信号传给舱内综合显控计算机显示。

氧浓度仪表的监测范围覆盖 0%~25%，显示分辨率不低于 0.1%，精度不低于±1%(F. S.)，并具有输出控制信号和声光报警功能。

二氧化碳浓度仪表的监测范围覆盖 0%~1.2%，显示分辨率不低于 0.01%，精度不低于±3%(F. S.)，并具有声光报警功能。

舱室压力计监测覆盖 50~200 kPa，数字显示压力计显示分辨率不低于 0.1 kPa，精度不低于±1%(F. S.)，并具有声光报警功能；机械式压力表显示分辨率不低于 1 kPa，精度不低于±1.5%(F. S.)。

舱室温度计监测覆盖-10~65 ℃，显示分辨率不低于 0.1 ℃，精度不低于±2%(F. S.)。

舱室湿度计监测覆盖 40%~99%，显示分辨率不低于 0.1%，精度不低于±3%(F. S.)。

氧浓度和二氧化碳浓度测量仪表各 2 套。

3. 系统组成

生命支持系统组成框图，如图 2.52 所示。

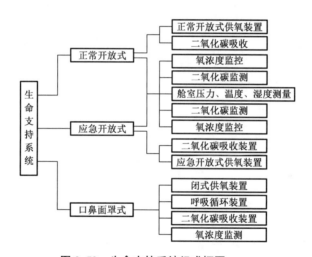

图 2.52　生命支持系统组成框图

生命支持系统——供氧装置操作面板，如图 2.53 所示。

氧气瓶/空气瓶，如图 2.54 所示；二氧化碳吸收装置，如图 2.55 所示。

从图 2.52 来看，生命支持系统由正常开放式和应急开放式供氧装置、二氧化碳吸收装置等两套相对独立的设备和一套应急口鼻面罩式呼吸循环装置组成。正常开放式和应急开放式供氧装置在原理与结构上是完全相同的，只是应急开放式供氧装置的氧气瓶要多一些，而二氧化碳吸收时间的增加是通过更换吸收剂来达到的。氧浓度、二氧化碳浓度、舱室压力、温度、湿度的监测(对氧浓度还有控制)仪表对两套开放式系统是公用的，其中氧浓度和二氧化碳浓度仪表各有两套，可互为备份。舱室压力仪表一台是数字式的，另一台是机械式的，机械式的舱室压力仪表作为备用仪表。

图 2.53　生命支持系统操作面板

图 2.54　氧气瓶/空气瓶

图 2.55　二氧化碳吸收装置

2.9　潜浮与应急抛载系统

2.9.1　可弃压载抛弃装置

　　"可弃压载抛弃装置"一般布置在载人潜水器中部左右两侧。它是保证潜水器在下潜/上浮过程中能正常运行,需要附带一定量的、用来克服和调整浮力的压载块(图 2.56)。当潜器即将下潜到相距海底一定距离时,要求抛弃其中一部分压载重块以减轻潜水器的负重而增加浮力,减慢下潜速度;当潜水器在海底完成作业任务准备上浮,或者发生意外事故而急需上浮时,需要进一步抛弃所附带的压载重块,使潜水器具备足够的浮力,保证其能正常上浮到海面。

　　如图 2.56(a)所示,可弃压载装置由吊挂与释放机构及垂块导向机构组成。目前,载人潜水器的可弃压载一般由上浮压载和下潜压载组成,上浮压载和下潜下载被均分为两组悬挂在可弃压载抛弃装置的吊挂和释放机构上,通过电磁铁和液压油缸控制,实现抛载,电磁铁为敞开状态,潜水器因故障失电后会自动释放压载上浮。

2.9.2　应急抛载系统

载人潜水器在水下航行或作业时,一旦遇到突发事件或紧急情况,需要以最快的速度上浮到水面。应急抛载系统是专门为了应对紧急情况,保证操作人员的生命安全和潜水器主体的设备安全而设计的具有高可靠性、低能耗的重物释放装置。而可弃压载抛弃装置是潜水器在上浮/下潜过程中以抛弃压载重块的方式来调整浮力、改变运动速度的功能,同时也是应对紧急情况的必要措施。应急抛载系统包括机械手应急抛弃装置、主蓄电池箱应急抛弃装置,即关键时刻可将机械手、主蓄电池抛弃。

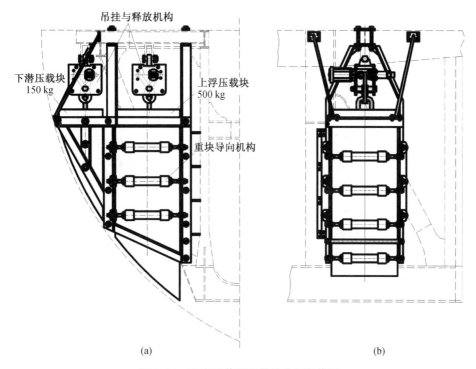

图 2.56　可弃压载抛弃装置布置示意图

只有遇到在载人舱出现渗漏等非常事件而要求潜水器急速上浮,且其他上浮压载均已抛弃但效果仍不显著才紧急抛弃主蓄电池箱,这是一种万不得已而采取的最后紧急措施。抛弃“主蓄电池箱”“箱体抛弃机构”是执行这种紧急任务的主体,但在抛弃之前,必须割断“主蓄电池箱”上的电缆,使它在抛弃时不被牵挂而导致抛载失败,因此还有一套“电缆切割机构”来保证其成功抛弃,如图 2.57 所示。

机械手抛弃装置是通过液压驱动的,由油缸、活塞来推动各切割刀,依次切断机械手的各油管、充油线管和连接螺栓(图 2.58),实现机械手连同“机械手安装底板”一起与潜水器脱离,以达到抛弃机械手的目的。

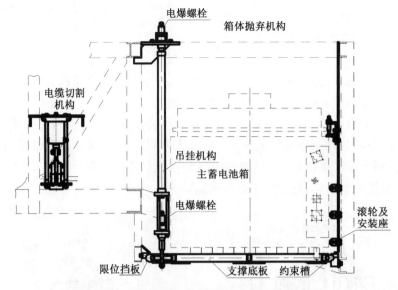

图 2.57　主蓄电池箱应急抛弃装置布置示意图

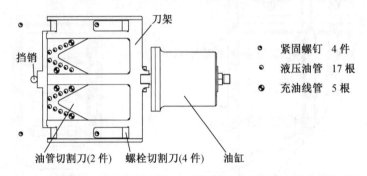

图 2.58　机械手各油管、充油线管和连接螺栓在抛弃装置中的布置示意图

由于切割对象较多,因此对它们进行同时切割,所需的切割力也较大。所以,本装置采取增大油缸的行程、对各被切割对象进行分批切割的方法,这样可降低所需切割力,减小油缸的直径,从而减小设备体积和质量。机械手的油管布置,如图 2.59 所示。

(a)开关式机械手　　　　　　　　　(b)主从式机械手

图 2.59　机械手的油管布置

第3章 载人潜水器常规运维

3.1 载人潜水器作业环境及其影响

海水的性质直接影响潜水器的运行,表现为温度(影响部件和电子)、化学性质(影响密封、引起氧化、降低机械运行)、密度(浮力和性能)。这些参数将决定潜水器的浮力、推进器的效率。为确保作业成功,潜水器的操作程序和参数设置必须根据潜水器作业区域海水的物理、化学性质予以调整。了解作业环境及其对潜水器作业的影响是非常重要的。

海水基本参数一般通过 CTD 进行测量,CTD 是一种常见的海洋调查设备,可以同步测量海水的电导率(C)、温度(T)和深度(D),如图 3.1 所示。通过测量水的电导率,可以得到高度精确的盐度测量值;温度通过电子方法测量;深度通过一个简单的水压传感器测量。CTD 探头测量的电导率、温度、深度剖面数据是声速方程中的基本参数。在 CTD 设备上加装不同的传感器可以实现其他海水参数的同步测量,如 pH 值、溶解氧和二氧化碳、浑浊度与其他参数。

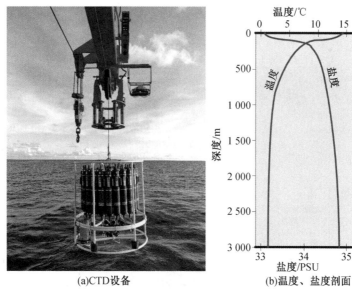

(a)CTD设备 (b)温度、盐度剖面

图 3.1　CTD 测量

3.1.1　海水的物理性质及其影响

1. 温度影响

海水温度在水平和垂直方向上变化很大。除极地外,几乎所有海区的垂直温度分布都呈现出随深度增加水温降低的分布。由于风混合和对流翻转(热驱动的垂直密度混合),从地表到某些近地表深度通常存在一层等温(恒温)水的混合层,该混合层随季节变化,在赤道很薄,在两极很厚。温度在一段短距离内迅速变化的层称为温跃层,其形成了一个可以捕获声能、光能和悬浮粒子的屏障,对于潜水器探测作业而言,温跃层可能会妨碍声波定位、声呐和任何试图穿透该层的测深设备的功能。

2. 盐度影响

盐度被定义为海水电导率与标准浓度的氯化钾溶液的电导率之比,单位 PSU(Practical salinity units)。在恒温条件下,盐度变化会使发生密度变化。就像温度快速变化的一层(温跃层)捕捉声音和其他能量一样,盐度快速变化的区域也被称为盐跃层。显然,盐度对水密度的影响比温度大得多。对潜水器作业的影响主要体现在浮力均衡,在淡水中潜水器质量每 100 kg 需要增加约 3.5 kg 压载质量,才可以保持该潜器的中性浮力。除此之外,盐度的变化对潜水器的腐蚀也会有一定的影响。

3. 深度影响

深度,它是地理学中的水下地形。水深图详细描述了海底的形状,显示了海底的形貌特征。目前的水深测量一般采用回声测量技术,即测量声脉冲从测量平台(水面舰船或潜水器底部)的源到海底并返回所需的往返时间。作业海区水深图,如图 3.2 所示。"蛟龙"号测深侧扫声呐扫描处理地形图,如图 3.3 所示。

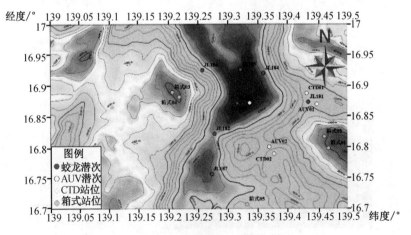

图 3.2　作业海区水深图

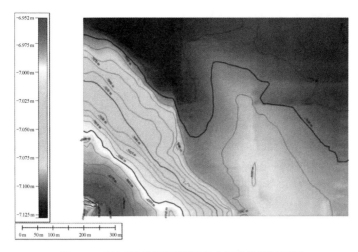

图 3.3　"蛟龙"号测深侧扫声呐扫描处理地形图

声波的波束宽度由脉冲频率和换能器的大小决定。一般来说,较低的频率产生较宽的波束,而在给定的频率下,较小的传感器将产生较宽的波束。较低的频率能深入水中,但分辨率较低。频率越高,深度分辨率越高,但范围越小,所以这个选择是一种权衡。更高的频率也需要更小的换能器。典型的低频换能器工作在 12 kHz,高频换能器工作在 200 kHz。

水深对潜水器的影响,主要表现为压力。海水一般每 10 m 深度增加一个大气压。潜水器的充气部件的设计必须能承受不同深度带来的压力,浮力必须能承受压力而不产生重大变形(从而失去浮力并使潜水器下沉)。

4. 海水密度影响

海水的密度取决于盐度、温度和压力,密度范围为 $1.022 \sim 1.030$ g/cm^3。在恒定的温度和压力下,海水的密度随水的盐度而变化。对于潜水器下潜作业而言,密度的测量对于确定 ROV 的中性浮力特别重要。在理想的稳定系统中,密度较高的水沉到底部,而密度较低的水浮到表面。在短距离内密度的快速变化被称为跃层,它可以捕获跨越这一障碍的任何能量来源,包括声音(声呐和声学定位系统)、海流和水体中具有浮力的物体,甚至潜水器。

5. 海洋声光学影响

声速是水的密度和压缩性的函数。因此,声速依赖于温度、盐度和压力,通常是通过这三个变量来推导。声速在水中变化 35 m/s,约 1.3 m·s^{-1}/PSU 盐度变化,约 1.7 m·s^{-1}/100 m 的深度(压缩)变化。声音在海水中的速度随着压力、温度和盐度的增加而增加(反之亦然)。公认的水下声速模型是由 W. D. Wilson 在 1960 年推导出来的。声速随水深变化,如图 3.4 所示。

海洋内的分层导致水体内声道的形成。这些声道捕捉声音,从而将其引导到可能很远的区域,从而影响声学传播距离范围和方位计算。在较短的距离(数十米或数百米),影响并不大,可以忽略不计,但对于大深度、大范围内作业的潜水器而言,其影响特别需要关注。在表面 1 m 的深度范围内,原始表面 60% 的可见光能被吸收,只留下 40% 用于照明和光合作用。在 10 m 的深度范围内,只有 20% 的总能量来自表面。到 100 m 时,99% 的光能被吸收,只剩下 1% 的可见光穿透率——几乎都是蓝/绿波段的光。除了光衰减以外,光在海水中的折射、散射和反射性质,均会影响潜水器水下作业。

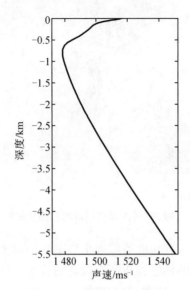

图 3.4　声速随水深变化图

3.1.2　海洋动力学及其影响

1. 洋流和底流的影响

洋流产生是风以及由热量和盐度的变化引起的水密度的差异而形成的。这些因素还进一步受到水深、水下地形和所处位置以及地球的旋转偏转的影响。对潜水器影响最大的是由风驱动的洋流,即所谓的埃克曼螺旋(Ekman spiral)洋流。该洋流会导致潜水器严重偏离计划作业点。

除了表层洋流外,受大洋环流、海底地形的影响,在一些作业区会存在较大的底流,大的底流流速会达到几节高,较大底流,如果超过潜水器抗流能力,势必会导致潜水器偏航。

2. 波浪影响

产生海浪的能量主要来自风,但也可以通过一些较小的因素产生,如海底地震(发生的频率较低,但在发生时可能是毁灭性的)、火山爆发及潮汐。波浪对潜水器的影响主要在潜水器布放回收过程中,是海况恶化的主要表征。历史上,载人潜水器出现的重大事故与波浪影响相关。在潜水器布放回收过程中,潜水器的运动可分为六个自由度的俯仰、滚动和偏航,以及平移运动的上升、颠簸和摇摆,加上波浪撞击船体时的平移运动均转化为影响悬挂重力的总摆动力矩。无论海况如何,在操作和安全的限制下,应尽快完成布放或回收操作。特别值得关注的是,在潜水器提离水面的过程中,潜水器受波浪影响,在水面大范围(受浪高控制)内上下沉浮,上升时缆绳松弛,快速下降会造成绷缆,对潜水器造成致命影响。这种情况一般采用恒张力控制来应对。

3.2　载人潜水器日常维护

载人潜水器常规维护保障主要指为保障载人潜水器处于适航状态而开展的必须和必要的例行维护保障工作,区别于海上作业现场的故障抢修和系列作业准备工作。常规维护保障直接关系到潜水器的使用寿命及海上作业安全,是载人潜水器维护保障的基础性工作。常规维护保障主要在陆地上开展,可分为日常维护保养、年度检修、中修和大修等几类。其中,中修涵盖了年度维护保养所有任务,大修涵盖了中修所有任务。

3.2.1　日常维护保障

1.日常维护保障目的

为了确保载人潜水器在日常运行期间处于良好的适用状态,日常保障工作必不可少。载人潜水器日常运行保障的主要目的如下:

(1)确保载人潜水器处于良好的适用状态;

(2)定期对载人潜水器各系统设备进行状态检查,及时发现和排除小的故障点,确保不会出现扩大和蔓延;

(3)定期对潜水器系统设备进行运转试验,确保设备处于良好的磨合状态;

(4)确保人员和装备的良好适配,保证良好的操作熟练度。

2.载人潜水器日常维护保障内容

载人潜水器的日常维护保障主要包括海上日常维护保障与陆上日常维护保障两部分。海上日常维护保障是指载人潜水器随船航渡及在作业海区执行下潜作业任务全过程的维护保障,而陆上日常维护保障主要指载人潜水器在陆上完成维修保障任务后的其余日常维护工作。

(1)海上日常维护保障

载人潜水器海上日常维护保障期间的主要目的是确保装备在到达作业海区后,随时具备执行下潜作业的能力,因此,载人潜水器海上日常维护保障主要侧重于装备的性能确认。在载人潜水器随船起航后,载人潜水器保障团队需根据航次任务制订详细的载人潜水器海上日常维护保障计划,确定人员岗位及职责,并以此开展海上的日常维护保障任务,其保障工作主要包含以下内容。

①每隔三天对载人潜水器蓄电池组进行一次状态检测,重点关注蓄电池组内部各项传感器数据,进而判断蓄电池组的整体性能。

②每隔三天开展一次载人潜水器外观检查,重点检查载人潜水器外观情况,尤其关注因船舶振动引起的装备紧固件脱落等状况。

③每隔五天进行一次载人潜水器通电检查,重点检查载人潜水器各系统设备的通电状态下的工作情况,确保载人潜水器各项功能正常;其间进行载人舱舱口盖的启闭状态检查。

④每个航次开始时须对载人潜水器蓄电池组进行容量复核,确定蓄电池组容量特性满

足载人潜水器下潜需求。

⑤到达作业海区前须对载人潜水器所有紧固件进行检查,其中包括外装推力器、浮力块、观察窗、轻外壳等关键部件的紧固情况检查,确保所有紧固件状态良好。

⑥到达作业海区前须完成载人潜水器蓄电池组充电、舱内氧气补充、舱内应急物资准备、高压空气补充及各类补偿机构补偿油的补充。

⑦执行下潜任务前一天完成载人潜水器压载铁的安装,每个航次至少进行一次压载铁抛载试验,确保压载铁抛载机构正常。

⑧执行下潜任务前一天完成载人潜水器作业工具安装、舱内二氧化碳吸收剂补充、拟下潜设备检查等工作。

(2)陆上日常维护保障

在做好载人潜水器航次备航及维护保障工作之外,载人潜水器因为受航次任务时间安排的影响,陆上日常维护保障时间长短不一,载人潜水器保障团队需要针对后续航次任务的时间安排,制订陆上日常维护保障计划,重点突出人员培训和技能训练,并在其间对载人潜水器装备性能进行全面验证。具体陆上日常维护保障内容具体如下:

1. 每隔三天对载人潜水器蓄电池组进行一次状态检查,确保蓄电池组性能良好,并根据蓄电池组电量使用情况进行补充电;

2. 每隔三天对载人潜水器进行一次外观检查,检查载人潜水器外观状况是否良好,并根据检查结果开展相关保障工作;

3. 每周至少进行两次通电检查或水池下潜试验,其中水池下潜试验不少于一次,每次水池试验时间不少于 2 h;

4. 定期检查载人潜水器生命支持系统、各设备补偿油位、高压空气压力等状态,并及时补充相关耗材;

5. 定期对潜水器结构紧固状况进行检查,对关键易损部位进行重点检查,可适时进行着色探伤等手段的检查;

6. 定期对载人潜水器舱口盖进行状态检查,在潜水器出航前至少进行一次印痕试验;

7. 定期对载人潜水器载人舱观察窗进行状态检查,确保陆上期间一直处于保护罩保护状态,在潜水器出航前至少进行一次外压保压试验;

8. 定期对潜水器抛载压载铁抛载机构进行检查,在潜水器出航前至少进行一次水池抛载试验;

9. 定期对载人潜水器应急抛载系统等其他安全保障设备进行检查,确保设备处于可用状态;

10. 做好载人潜水器保障人员尤其是下潜人员的日常培训,通过陆上实操训练、水池实艇训练等方式加强人员培训;

11. 做好载人潜水器备品备件等的及时补充工作。

3.2.2 年度检修维护

1. 年度检修维护任务

年度维护保养原则上每年开展一次,一般在载人潜水器完成预定的年度航次任务后开展。其目的是对潜水器进行全面的检查、维护、修理并完成年度检验,为潜水器执行下一年度的航次任务做好技术上的准备。

潜水器日常维护保养工作主要在陆上开展,主要任务如下:

(1)全面拆检维护;

(2)传感器的标定或检测;

(3)损坏部件的修理或更换;

(4)定期的通电检测与调试;

(5)水池技术状态测试与应用作业演练;

(6)船级社年度检验。

必要时,还进行系统升级完善以及作业接口改进。

2.年度检修维护技术要求

(1)全系统拆检技术要求

①框架结构检查:全系统采用目测方法,拆卸载人潜水器全部外壳和部分设备后对框架进行检查,检查是否存在明显的损伤,重点部位进行着色探伤,检查是否存在裂缝,以保证框架结构的承重能力。

②浮力材料与轻外壳检查:全系统采用目测与检测的方法,全部拆卸下浮力材料和轻外壳,在拆卸过程中检测浮力材料预埋件和紧固件,检测轻外壳安装支架上的螺纹孔,对浮力材料和轻外壳进行目测检查,查看是否存在损伤,如果存在损伤则进行浮力测试或耐压测试,以确定其技术状态。

③载人舱检查:拆除载人舱周围设备,对载人舱球壳的焊缝进行检测,首先使用着色方法对主要焊缝进行检查,如果发现异常则使用超声波进行进一步检测,以对异常进行分析和处理;按照舱口盖使用说明书的要求对舱口盖密封面进行检查,对舱口盖密封圈进行更换,对舱口盖启闭机构进行换油和密封检查,确保启闭机构耐压能力和操作性能。

④耐压罐和球检查:对耐压罐和球的密封面进行检查,更换O形圈。

⑤充油设备检查:对蓄电池箱、接线箱、液压系统的油品进行检查,对未达到要求的进行清洗和更换。

⑥固定安装设备检查:对每个固定安装设备的安装状态进行检查,并用淡水进行冲洗,检查设备的腐蚀情况,更换设备的防腐材料。

⑦管路检查:对液压管路、水银管路、高低压气路进行巡检,重点检查老化、破损和腐蚀情况。

⑧线路检查:对水密电缆和接插件进行系统检查,重点检查电缆的老化、破损和腐蚀情况,检查水密接插件接口机密封件情况。

⑨推进器检查:拆开每一个推进器,对推进器的水润滑轴承进行磨损情况检查。

⑩阀件检查:对电磁阀、海水阀进行检查,检查阀件磨损和弹簧情况。

⑪切割机构检查:以及切割机构的腐蚀情况,以及切割机构运动件的运动情况。

⑫水声设备检查:检查换能器表面是否存在老化等情况。

⑬生命支持系统检查:检查每一路供氧系统的工作情况、应急供氧系统的工作情况,以及氧气瓶的密封情况。

⑭气密试验:对压载水箱系统进行气密测试,检查其密封性能。

（2）传感器标定或更换

载人潜水器上的各种传感器需要在使用后进行标定或更换,主要包括:

①CTD 传感器,按照规定送到指定单位进行标定;

②氧气传感器,送有资质单位进行标定;

③二氧化碳传感器,送有资质单位进行标定;

④压力传感器,送有资质单位进行检验;

⑤温度传感器,送有资质单位进行检验;

⑥电流和电压传感器,送有资质单位进行检验;

⑦水银液位传感器,移动水银进行标定;

⑧水仓液位传感器,利用注水流量进行标定;

⑨泄漏检测传感器,利用海水和淡水两种介质进行检测;

⑩补偿液位传感器,利用标尺进行标定;

⑪传感器更换,对检验不合格传感器进行更换,对到寿命期的传感器进行更换。

（3）损坏部件的更换或修理

对检查发现的部件应及时更换和修理,并检测相应技术状态:

①对结构件进行修补,金属结构件需要重新焊接并利用着色检查;

②其他发现问题的设备或部件进一步确定损伤后,进行修理或更换,并对更换部件后的系统技术状态继续检测确认,必要时进行压力筒检测试验验证。

（4）定期的通电检测与调试

载人潜水器在非应用状态,为确保其技术状态正常,需要每个月进行通电检测,主要包括:

①控制系统舱内外网络通信状态检查;

②设备控制上电响应情况检查;

③传感器信号与检测数据正确性检查;

④每一个设备工作状态检查;

⑤声学系统舱内外网络通信状态检查;

⑥液压系统启动情况检查,每一个液压动作部件的动作情况检查;

⑦生命支持系统工作状态和传感器性能检查;

⑧纵倾调节功能检查;

⑨可调压载注排水功能检查;

⑩各种机构动作功能检查;

⑪抛载机构的抛载功能检查;

⑫全系统工作状态检查;

⑬24 h 运行拷机。

（5）水池技术状态测试与应用作业演练

为检测系统及设备运转情况,同时开展应用作业演练,培训下潜科学家,确保潜水器的状态达到应用前技术状态要求,在完成系统检查、维护和完善后需要在水池里进行测试,在水池环境下载人潜水器上的所有设备都能运行起来,检验各种设备在水池环境下的工作状态,测试设备的功能实现情况,对潜水器的航行性能进行验证。

水池功能试验主要内容如下:

①载人潜水器完成全流程的能力验证;

②载人潜水器技术状态的稳定性测试;

③载人潜水器各系统和设备的技术状态检测;

④海上试验作业项目的演练;

⑤根据实际需要进行下潜科学家培训。

(6) 年度检验

配合船级社完成年度的检验工作。

3.2.3　潜水器中修与大修

潜水器中修和大修主要指对潜水器的维修程度。潜水器中修和大修的周期主要由设计要求及作业频度来决定,一般每 5 年进行一次中修。中修除了完成日常维护保养的所有内容外,还要进行耐压设备的拆检、密封结构的拆检、充油设备的清洗、所有设备的检验,评估所有设备与部件的技术状态,进行技术状态评估试验。中修除年度维护保养的所有工作内容外,主要包括:

(1)完成包括日常维护保养的所有内容;

(2)拆检观察窗和观察窗防护装置,及时处理发现的问题;

(3)检查所有焊接支架、座板有无锈蚀(重点是日常维护难以达到的部位);

(4)载人舱焊缝的无损检查,分析载人舱结构安全性;

(5)拆检所有阀件与管路,更换水银管路;

(6)拆检所有充油设备,进行全面清洗;

(7)液压系统参数检查调整、密性检查、消除泄漏;

(8)水舱拆检,密封性测试;

(9)拆检水密接插件,更换所有水密接插件的密封件;

(10)机械手作业效用试验:检查各活动关节的灵活性和管路接头的密封性;

(11)艇内外照明系统检查/修理;

(12)控制系统电气部分检查/修理;

(13)声学系统电气部分检查/修理;

(14)充电系统检查/调整;

(15)视频系统检查/修理;

(16)图像声呐、声定位系统和通信声呐系统检查/修理;

(17)光纤罗经检查/修理;

(18)备品备件:根据进货表对备品备件进行检查,检查数量是否正确,质量是否存在老化,清理过期的老化备品备件,补充新的备品备件;

(19)在水池进行系泊试验和航行试验。

一般每 10 年进行一次大修,大修除了完成年度维护保养和中修的所有内容外,还要进行所有充油电子设备的更新、生命支持系统设备更新、观察窗更新、所有密封件更新、管路更新,耐压设备的压力测试,技术状态评估与分析,海上试验。主要工作内容包括:

(1)完成中修工程所包含的全部内容;

(2)拆检所有电子舱,更换所有充油电子设备;

(3)拆检生命支持系统,所有气瓶保养、管路系统检修、密性检查、消除泄漏;

(4)更换所有密封 O 形圈,更换所有液压管路;

(5)更换观察窗、穿舱件、非金属部件;

(6)所有监控仪器仪表、传感器等校正、标检;

(7)所有通信导航设备的检查/修理/调整;

(8)耐压设备压力测试,耐压系统压力环境下功能测试;

(9)待所有维修项目完成后,进行一次完整的浮态计算和陆上运行检查;

(10)进行完整的水池环境下的性能测试试验;

(11)进行一次海上试验,验证潜水器技术状态。

3.3　载人潜水器航次现场保障

3.3.1　下潜检查

载人潜水器下潜前必须进行全系统金属状态检查,除目视检查外,主要进行系统通电检查,以确保系统处于良好的技术状态并且满足下潜要求。潜水器通电检查至少需两个人配合完成,舱内人员负责操作各设备,舱外人员须配合确认设备工作状态。

1. 通电检查准备

潜水器设备上电之前,须先确认舱内所有设备开关处于"关"或"中位"的位置,依次打开舱内供电总开关及各路分系统开关,开启生命支持系统,包括环境风机、供氧系统、二氧化碳吸收系统等,并依次将舱内各计算机、显示器、传感器等上电,使潜水器处于各功能可用状态。

2. 潜水器各系统通电检查技术要求

(1)观通系统

依次开启所有水下照明灯,待舱外人员确认功能正常后关闭;依次开启各路视频及照相设备,舱内人员确认所有视频画面清晰,其中可改变焦距及角度的照相机、录像机要确认聚焦及角度变化功能。

(2)电气系统

检查舱内主电池、副电池以及应急电池等各路电池电压,检查舱内各路漏水检测数值。

(3)推进系统

舱内人员打开推进器电源,根据舱外人员指令依次操作推进器操纵杆进行潜水器前进/后退、上浮/下潜、左转/右转等功能的测试,注意显控界面上相应推进器的转速及电流数值是否在正常范围内。

(4)液压系统

分别将液压源上电开启,检查每一路液压源的压力、补偿量等参数是否在正常范围。陆上检查时液压源不得开启时间过长,并应采取一定措施在舱外给液压源降温。

(5)抛载、纵倾、浮力调节功能

分别检查每组抛载机构的抛弃、吸附功能,由舱内人员操作,舱外人员确认;检查潜水器纵倾调节系统设备功能是否正常;检查所有潜水器浮力调节设备的功能是否正常,并进行排水、排气等功能测试。

(6)生命支持系统

舱内检查人员开启生命支持系统,检查舱内通风设备、供氧设备、二氧化碳吸收设备等功能是否正常;通过观察显示面板上氧气浓度、二氧化碳浓度、舱内温度、舱内湿度、舱内压力等数据示数检查舱内生命支持系统各路传感器是否正常。

(7)控制与声学系统

潜水器控制与声学系统舱内检查主要包括综合显控系统、导航定位系统、通信装置、避碰、成像声呐、测深侧扫、运动传感器等设备的功能是否正常。

3.3.2　潜水器布放回收舱内保障

潜水器布放回收是载人深潜作业的关键环节,受风、浪、流等作业环境要素和吊装方式影响,布放回收对潜水器系统的冲击较大。潜水器布放回收舱内保障是潜水器能否顺利下潜和安全回收的关键环节,主要技术保障任务及要求包括以下内容。

1.人员进舱

下潜人员进舱后,打开舱内生命支持系统所有设备,仔细检查舱口盖,清除舱口盖密封处的杂质,在舱外人员的配合下关闭舱口盖。

2.水面检查

潜水器布放至水面后,首先进行水面检查,主要包括以下内容:

(1)检查生命支持系统;

(2)查看控制面板上电气系统、声学系统、液压系统等各路传感器显示参数;

(3)至少与水面建立一种通信方式;

(4)水面检查结束,得到允许下潜命令后,开始注水下潜。

3.潜水器上浮保障

(1)潜水器水下作业完成后,按计划抛弃上浮压载;

(2)除生命支持系统、导航定位系统、通信系统、深度计等必要设备开启之外,关闭潜水器其他设备;

(3)上浮过程中保持与水面通信,随时汇报潜水器深度及上浮速度;

(4)潜水器出水后进行排水,保证潜水器有足够的干舷。

4. 潜水器回收保障

在水面潜水器与母船之间建立连接后，由母船水面支持系统负责潜水器的回收工作，舱内人员须听从母船指挥：

(1) 按照顺序将舱内设备依次下电，关闭舱内各路供电总开关；

(2) 下潜人员出舱前确保潜水器所有设备下电；

(3) 整理舱内物品，将个人物品、消耗品、垃圾归类封装带出载人舱，保持舱内整洁。

3.3.3 下潜作业保障

潜水器下潜作业保障是载人潜水器运行保障中最重要的环节，直接关系到下潜人员生命安全、任务执行质量、科考成果产出以及装备安全。下潜作业需要训练有素的专业技术人员(如潜航员)，按照规则、规范进行保障。下潜作业保障工作根据下潜流程分为：潜水器下潜、潜水器坐底、水下航行作业以及水下定点作业等几个环节。

1. 潜水器下潜

(1) 下潜过程中潜航员须时刻关注舱内设备运行情况。

(2) 下潜过程中舱内人员须时刻注意生命支持系统各项参数。

(3) 下潜过程中保持与水面通信，并定期向水面汇报下潜深度和下潜速度。

(4) 若发现泄漏报警指示区、油位补偿报警指示区或信息显控报警指示区出现报警信号，则根据故障类型和试验任务决定是否继续工作。如果判定故障类型不影响本潜次主要任务的安全完成，则允许继续下潜。

(5) 潜水器下潜至一定深度后，打开声学多普勒计程仪及其他能够探测潜水器离底高度的设备。

(6) 打开所有水下灯、照相机、摄像机及声学设备。

2. 潜水器坐底

(1) 在潜水器距底合适的高度抛弃终止下潜压载。

(2) 抛载后关注潜水器下潜速度、航行阻力，打开浮力调节系统调节潜水器均衡。

(3) 打开潜水器推进器电源，准备潜水器坐底。

(4) 潜水器在硬质海底着底速度应小于 0.1 m/s，纵倾角和横倾角不得超过 10°。

(5) 潜水器在沉积物较多区域坐底时，应控制着底速度，避免搅起烟尘。

3. 水下航行作业

(1) 潜水器水下作业期间，原则上按照作业计划规定的路线航行，如更改作业计划，须提前向水面请示，得到允许后继续作业。

(2) 在潜水器航行过程中，时刻关注各推进器的电压、电流、转速等参数。

(3) 潜水器水下航行过程中需时刻关注各设备的技术状态。

(4) 一般情况下，潜水器在近底航行过程中，保持离底高度不少于 2 m。

(5) 潜水器航行过程中，左、右舷工作人员须通过舷窗密切关注外界环境，为潜航员适时提供路径规划建议，潜水器在热液区航行过程中，左、右舷人员密切注意观察窗外景象(流向、温度、密度)及烟囱分布位置，适时为主驾驶提供路径规划建议。

（6）如水下作业深度变化较大,应利用浮力调节系统随时调节潜水器均衡。

（7）如潜水器上坡航行,须注意潜水器正前及前下方离山体距离。

（8）如潜水器下坡航行,须注意潜水器正下及后下方离山体的距离。

4. 水下定点作业

（1）使用机械手作业前,首先检查机械手通信是否正常。

（2）使用机械手作业过程中,关注液压系统压力、110 V 电流、油箱温度等参数。

（3）作业过程中,若需要布放原位探测等大质量的仪器设备,须及时调节潜水器均衡。

（4）近底作业过程中,全面了解作业点周围环境后确定作业位置,调节潜水器均衡并从上流接近烟囱体,尽量避免在烟囱体底部和热流场中作业。

（5）在烟囱体和热液喷口附近作业时,密切关注观察窗温度传感器数值,发现温度传感器数值超过安全值或观察到异常现象时,应立即停止作业并驶离作业区至安全区域。

（6）潜水器在复杂环境下须搭靠作业时,应调节潜水器均衡,作业期间避免大质量的物体或人员移动,以免破坏潜水器均衡。

（7）潜水器水下作业期间须保持与水面通信畅通。

3.4　潜水器维护保障考核评价

载人潜水器维护保障考核评价是保证潜水器维护保障质量的重要举措,科学地对潜水器维护保障工作进行考核评价,对于保障潜水器处于适航状态,提高维护保障效率具有重要的指导作用。

3.4.1　考核评价内容与标准

载人潜水器维护保障考核评价首要任务是确定考核评价的内容及标准。载人潜水器维护保障考核评价既涉及技术问题又涉及管理问题。不同的潜水器,其考核评价的内容与标准也不同,一般情况下主要内容及标准如下。

1. 潜水器安全状况评价

（1）主要对载人潜水器本体及其辅助设备的存放、转运及陆岸作业安全状况进行评价,保证潜水器系统安全是基本要求,潜水器维护保障的第一要务是避免潜水器出现安全事故。

（2）潜水器本体及辅助设备有专门的存放地点,物品存放整齐,消防、温度、湿度等环境要求达标,有明显的警示标志。

（3）配备专门人员对本体及辅助设备进行管理,定期进行安全检查并有安全检查记录表。

（4）聘请专业且有资质的大型设备转运团队进行潜水器本体及辅助设备转运。

（5）提前制订转运计划,有专门人员进行指挥监督,在搬动、转运过程中保证本体及其他设备安全。

（6）潜水器本体及辅助设备陆岸作业由专业人员依照相关操作规程进行,在作业过程中告知周围人员,避免造成不必要的损伤,保证潜水器本体及辅助设备作业安全。

2. 载人潜水器维护保障质量评价

主要对潜水器各系统技术状态进行综合考核评价,考核评价的主要依据和标准包括:潜水器维护维修工作是否由专业人员进行,相关记录表格是否齐全,维护维修工作内容是否符合规范要求,系统相关设备及功能是否正常,备品备件是否齐全,是否按计划完成维护维修工作,是否满足出航要求等。

3. 潜水器运行状态评价

主要对航次下潜作业任务完成情况进行考核评价,评价的依据为应用航次任务书及实施方案,用户满意度调查是潜水器运行状态评价的重要依据。根据任务完成情况,用户使用情况反馈可分为良好、合格、基本合格、不合格等。

4. 维护保障规章制度落实情况评价

主要对潜水器安全保障制度体系的落实进行考核评价,根据制度落实情况采取良好、合格、基本合格和不合格等分级评价,如有违规操作,不得评定为良好等级。

5. 维护保障人员技术状态评价

主要对潜航员、工程技术人员等载人潜水器维护保障人员的技术水平、工作态度以及任务完成效果进行评价,人员技术状态评价与潜水器维护保障质量评价结果相联系,人员的技术状态评价等次不高于潜水器维护保障考核评价等级,如出现人员造成设备损伤的操作失误,人员技术状态不得评定为良好等级。

6. 下潜搭乘人员评价

下潜搭乘人员评价由专家组根据科学家下潜前培训考核结果并参考同潜次主驾驶及副驾驶意见后进行评定,主要从对潜水器下潜作业流程、潜水器工作原理及舱内设备布置、深潜作业规程等的熟悉程度以及下潜过程中的实际表现等几方面进行考核评价。

3.4.2 考核评价的组织形式

考核评价工作一般由潜水器业主或者委托管理单位组织,由管理(财务)专家、技术专家和应用评价科学家组成专家组进行考核评价,考核评价形式主要采用提交年度报告和专家评审的方式,如有需要可进行现场勘查和派员参航监督考核。

1. 年度报告考核

可按照维护保障管理任务要求,维护保障实施方就潜水器维护维修情况、潜水器各系统的技术状态、潜航员和技术保障人员技术状态、维护维修过程中规章制度落实情况、经费使用情况等总结形成年度报告,由专家考核评定,如需要可进行汇报答辩考核。

2. 现场勘查

如年度考核报告不能充分反映维护保障管理结果,如有必要可组织专家现场对潜水器结构、机械、电气、推进、声学、控制、生命支持等系统以及潜水器总体运行状况进行勘查,确定其安全状况与技术状态。

3. 航次现场考核

根据考核需要,可从航次现场潜水器及人员技术状态、航次任务执行情况、航次取得成果等方面进行现场监督考核。

第4章　应急与安全保障

根据美国载人深潜器科学家 R. 布什毕教授的定义,载人潜水器应急技术主要包括三种基本类型:①避免发生应急情况的技术,即应急状况预防技术,配置应有的装置和采取的保障措施;②使潜水器摆脱水下应急环境,并在出水后帮助解脱应急情况的技术,即应急状况处置技术,包含采取的措施和使用的装备装置;③当潜水器本身的应急手段全部失效后,采用的应急技术,即应急救援技术,主要是来自外界的营救装备、装置和技术措施。

4.1　应急状况预防技术

4.1.1　水下应急状况预防技术

潜水器水下应急状况主要是指潜水器下潜作业时突发的碰撞、缠绕和重大设备故障。根据载人潜水器水下作业环境、工作流程及其本身技术性能等特点可知,载人潜水器水下应急状况产生的诱因主要包括三个方面:潜水器深度测量值和下潜点精确深度值有误、水下能见度不足,以及潜水器自身技术状态异常。水下应急状况预防装备和技术主要针对以上应急状况发生的诱因配置和发展。

1. 下潜点及潜水器下潜实时深度测量

下潜点深度和潜水器下潜深度是两个截然不同的概念,下潜点深度是指下潜作业点位置的实际水深,而下潜深度是指潜水器下潜作业到达的深度。目前,随着海洋调查研究的不断深入,全球范围内的大洋水深已经基本了解,下潜作业区域的水深一般是已知的。但是,由于作业区域水深获得手段的不同,准确度相差很大,即便是高精度的船载多波束测深,其分辨率也只能到米级。为避免潜水器因触底产生碰撞,需要加强潜水器下潜深度和离底高度实时测量的精度。

为避免此类应急状况的发生,目前载人潜水器一般同时安装高精度的测深仪和测高仪,测深仪一般选用高精度压力传感器,其精度可达 0.1‰。测深仪既可以作为保障设备,又可以为深潜勘查研究提供可靠的数据,这些数据对于调查研究而言,极其宝贵。测高仪是专门用来实时测量潜水器离底高度的仪器,通常采用回声测深仪。

2. 潜水器水下避碰

水下能见度的变化范围可以从几十米到几米,甚至零点几米。前者的能见距离通常是指在热带和亚热带的浅水区以及北极和南极,而在港湾、沿海及公海温带水域其水下能见度就会急剧减小。在深海百米下自然光已无法供人用眼睛进行观察,因此需要人造光源进行照明。人造光源根据水的不同清晰度可提供十几米的视距,一般情况下可以满足潜水器避障需要。但是,下潜人员利用人造光源只能观视距内的目标,而视距外的状况是无法观察到的,同时,海底沉积物因受扰而悬浮,影响下潜人员目视观察的情况仍然时有发生。因此必须采取更有效的手段解决潜水器避碰问题。

声呐装置可以随时发现在视距外的航行途中的障碍物,例如悬崖、沉船和电缆等。规避这些障碍物,目前一般采用两类声呐:第一类是用安装在潜水器首部的通用的成像声呐,搜索前方的障碍物,它与雷达的工作方式相似,将探测到的目标显示在潜水器内部显示器上;第二类是分别安装在潜水器上下、前后和左右的避碰声呐组,它可以提供潜水器不同方向的目标与潜水器之间的距离。

"蛟龙"号载人潜水器共安装有七只避碰声呐,探测周围不同方向上的距离,其换能器频率为 400 kHz,长期的应用证明,该系统具有良好的避碰效果。热液区,由于存在瘦高型烟囱体,会存在避碰声呐漏判的现象,值得注意。

表 4.1 给出了安装在载人潜水器上的潜水器应急状况预警和处置仪器、装置。有时,一种仪器装置可以用来避免或抵消一种以上的应急情况。

表 4.1　载人潜水器应急状况预防系统

应急状况	预防系统
超过作业深度	深度指示仪
	自动排除压载装置
	抛弃重物
	吹除压载水
	水面浮标
与海底相撞	回声探测仪
在航行中遇到障碍物	避碰声呐
生命维持系统发生故障	大气监控装置
水面环境恶化	—
水面有船只来往	水下电话
与水面母船失去联系	声源
	应答器
	水下电话
	水面浮标
生命维持有缺陷	监控仪:氧、二氧化碳、舱室压力、一氧化碳、微量污染物质

3. 潜水器技术性能检查

载人潜水器水下应急状况除了突发的碰撞、缠绕外,还有一类是设备突发重大故障,其根本原因是设备维护保养和操作不当造成的。其诱因一般来源于几个方面:一是潜水器日常维护不到位,造成设备出现重大故障隐患,下潜后出现故障;二是潜水器维护操作不当,造成器件安装质量不达标,例如出现频率较大的是舱外水密接插件,安装不当会造成电路短路,如果核心设备出现操作失误发生故障,势必会在水下发生重大应急状况;除此之外,下潜人员误操作也会导致设备出现故障,不过这种情况发生的概率很小。

避免潜水器设备在水下造成故障的应急状况的方法和措施是:

(1)制定严格的操作规程并严格落实;

(2)潜水器下潜作业前进行系统、全面地目视和通电检查。

目前"蛟龙"号载人潜水器下潜前设备通电检查和潜水器布放入水后的通电检查,已经纳入潜水器安全保障操作规程和安全保障的制度体系。

4.1.2 水面应急状况预防技术

潜水器水面应急状况一般包括以下三类:

(1)潜水器出水时或在水面漂航等待回收时与水面目标发生碰撞;

(2)潜水器出水后失联,即潜水器出水后由于天气突发阴雨,风浪增大,无法观察发现潜水器与母船的位置;

(3)因海况变化或者回收装备故障,造成潜水器无法正常回收。

以上应急状况在"蛟龙"号海试过程中均有发生。

由于载人潜水器一般通过抛弃压载重物无动力上升的。一旦抛载上浮,即使可以通过启动推进系统迫使其停止上浮/下潜,也会使潜水器因电力快速消耗带来全艇失电风险,因此在潜水器抛载上浮后,一般情况下直接浮出水面。

对于第一类应急状况,在公海作业的潜水器恰好在有船舶经过的时候出水的概率极小,但如果在航道或沿海交通要道处下潜,这类情况发生的概率无疑会增大,预防该类应急状况发生,需要在潜水器上浮过程中,母船紧密跟踪起其上浮的位置,并在潜水器上浮出水的半径内警戒,避免其他船只闯入下潜区以规避风险。

在潜水器上浮过程中,因海面天气突然恶化,如突遇雷雨阵雨天气,能见度急剧下降,母船无法通过目视发现潜水器,造成潜水器失联的应急状况是极易发生的。"蛟龙"号载人潜水器在5 000米级海试期间发生过水面失联的应急状况。针对此类应急情况,通过潜水器配置频闪灯,提高潜水器能见能力,通过配置卫星定位系统水声电话和无线电通信系统来确定水面位置实时向母船报告来预防。潜水器水下作业示意图,如图4.1所示。

潜水器出水后海况恶化或者母船上的潜水器回收装备故障造成潜水器无法及时回收至母船甲板的状况,也可以归纳为水面应急状况。事实上,这类应急状况发生的概率远远大于前者。"蛟龙"号载人潜水器在海上作业期前曾经发生过多起因水面支持系统故障而无法及时回收潜水器的应急状况。预防此类状况发生的措施是加强水面支持系统相关设备的维护保养。

目前,载人潜水器水面应急预防装备包括以下几种,以下装备不仅仅是为了预防水面应急状况而配置的,例如声学应答器,它可以实时监控潜水器水下位置,其数据同时是水下勘查作业的重要数据。

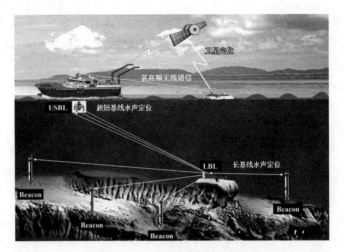

图 4.1　潜水器水下作业示意图

1. 水声应答器

水声应答器安装在潜水器顶部,它是一种能自动工作的接收器/发射器组件。当水面母船发出询问时,应答器便能自动发出一个声波信号。船载超短基线或者水下长基线系统通过正确测载人潜水器应答器定发出讯号和接收讯号之间的时间间隔和相位差便可计算出支持母船和潜水器之间距离和方位,水面支持母船只要增加或缩短这段水平距离,可以使它与潜水器之间保持在理想的相对位置上。

目前一般选用商业化的水声应答器,如"蛟龙"号载人潜水器配置了法国 IXSEA 公司 ET861 T-R-7000 型应答器(图 4.2),其主要技术指标为:

(1)工作频率 161.5 kHz;

(2)最大作用距离 8 000 m(环境噪声为 60 dB 时);

(3)测距精度 0.5%斜距(60°圆锥角内);

(4)最大工作水深 7 000 m。

图 4.2　ET861 T-R-7000 型应答器

2. 水声电话

水声电话(图 4.3)是潜水器水声通信机的重要补充,潜航员与水面指挥人员可以通过它就作业情况进行语音交流,保证了水面支持母船与潜水器之间的语音通信联系。水声电话安装在潜水器首部上侧,采用半双工通信方式,通信双方均具备发送和接收的能力,但任何一方不能同时进行发送和接收,在同一时间内,仅允许一方发送,另一方接收。

图 4.3　水下通信装置

目前,水声电话广泛应用于军用潜艇等运载装备,目前"蛟龙"号配置了北京长城电子装备有限公司的 6971 型号水声电话系统,其总的发射频带为 6.6~9.6 kHz,分两个频带,其中 6.9~9.6 kHz 是单边带频带,载荷着语言的主要信息,6.6 kHz 为导频,载荷着语言的幅度信息和静噪信号,实现单边带信号的幅频分传。

3. 卫星定位系统

卫星定位系统是获取潜水器水面定位信息的重要装置,同时也为潜水器水下惯性导航提供初始参考数据。潜水器通过安装与顶部的卫星接收器接收卫星数据并经定位系统计算后获取定位信息,相应数据汇入潜水器控制系统,实现定位坐标显示及辅助导航功能。

"蛟龙"号载人潜水器研制之初,使用基于 GPS(全球定位系统)的自研卫星定位接收器,随着我国北斗卫星导航系统的成功应用,集成 GPS、北斗及 GLONASS(全球卫星导航系统)的卫星接收器也已在潜水器上得以应用。GPS 定位终端,如图 4.4 所示。

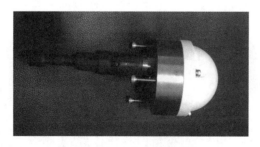

图 4.4　GPS 定位终端

4. 无线通信系统

当载人潜水器处于海面时,由于水声通信的传输通道不能起到作用,此时需要一套可靠的通信系统来保持潜水器和支持母船的通信联系,水面无线电通信机就可以实现这一功能。VHF(甚高频)无线电通信机的天线安装在载人球壳外的潜器顶部,其通过同轴电缆与舱内的无线电通信机相连接,通过无线电通信系统可以实现潜水器在海面时的通信联系,无线电通信机,如图 4.5 所示。

图4.5　无线电通信机

目前,商业化的无线通信设备种类较多,参照《船用无线电通信设备一般要求》国家标准的有关要求,"蛟龙"号选用了日本 ICOM 公司 IC-59 型号产品,其主要技术性能为:

(1)发射频率,156.025~157.425 MHz;

(2)接收频率,156.050~163.275 MHz;

(3)可用信道,全部国际信道、美国信道、加拿大信道,另有10个气象频道;

(4)电源电压,13.8 VDC±15%(负极接地);

(5)发射耗用电流为6 A(高功率25 W时),1.5 A(低功率1 W时);接收耗用电流为1.2 A(音量最大时),350 mA(静默时);

(6)工作温度范围,-20~60 ℃;

(7)质量,约1.0 kg。

5.应急浮标

潜水器顶部居中位置安装有一个由浮力材料组成的应急浮标[图4.6(a)],浮标通过一个爆炸螺栓与潜水器框架连接,浮标下面有一个缆绳筐,筐内装有9 000 m的凯夫拉缆绳,最大可以承受2 t拉力。在潜水器无法上浮时可以通过电爆炸螺栓[图4.6(b)]释放应急浮标拖带缆绳上浮到海面,依靠母船或其他外部力量实施救援。

应急浮标释放产生的浮力损失应在潜水器储备浮力范围之内。

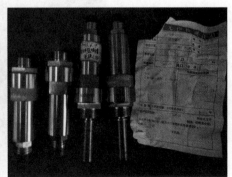

(a)"蛟龙"号应急浮标安装位置　　　　　　(b)爆炸螺栓

图4.6　应急浮标

4.2　应急状况处置技术

4.2.1　水下应急状况处置

潜水器在水下发生紧急情况时,有几种排除措施可供选择,表 4.2 中给出了各种不同性质的紧急情况及所采取的部分措施。

表 4.2　水下应急排除措施

应急情况	排除措施
丧失正常出水能力	用高压空气吹除压载水
	抛弃重物
	排出纵倾调整液
	抛弃设备
	启动推力器上浮
	释放应急浮标寻求他救
	应急/正常出水程序
发生缠绕	机械手辅助挣脱
	启动推力器挣脱
	用高压气吹除压载水
	抛弃设备
	释放应急浮标寻求他救
	释放耐压舱
	应急/正常出水程序
耐压壳进水	应急/正常出水程序
	用高压空气吹除或用泵排除进水
火警	灭火机
消除有毒有害气体	应急呼吸器
	应急/正常出水程序
失去正常生命支持能力	闭式呼吸器
	开式呼吸器
	氯酸盐烛
	应急/正常出水程序

表 4.2(续)

应急情况	排除措施
丧失电源	应急(内部)电池组
	自动抛弃重物(失事保护)
	手电筒
	非耗电上升出水

1. 丧失正常出水能力

现代潜水器一般采用抛弃压载的方式出水。当采用正常出水方法无法上浮出水时,潜水器舱内人员还可以采用其他措施,随同潜水器或者抛弃潜水器返回水面。

(1)抛弃重物

最普遍的应急出水方法是抛弃固定在潜水器框架上的铅或钢压载重块。重物的重量根据潜水器的情况而定,但抛弃重物的方法不外乎是用机械的方法,用电力或液压驱动释放机构。对于用电力或液压驱动释放机构的方法,由设置在耐压壳体内的应急电池供电,在某些情况下,可以采用电力驱动的爆炸装置,如爆炸螺栓,以切断固定连接作为释放机构。

(2)抛弃设备

为了获得与抛弃压载重物同样的效果,可把潜水器上的电池组、机械手臂、作业工具、采样篮以及其他类似的一些设备予以抛弃,以减轻潜水器的重量,这种措施只作为抛弃重物的辅助手段,因为这些设备成本很高。

(3)排出纵倾调整液

那些利用水银的重量来调整纵倾角或横倾角的潜水器,在其他方法用尽的情况下还可以采用排出水银的方法来改变应急状态。如"深星4000"号潜水器、"蛟龙"号载人潜水器,即利用潜水器上压缩气体将水银排出。

(4)用高压空气吹除压载水

主压载舱是为潜水器在水面时获得干舷而设的,它由压缩空气来排空压载水。当潜水器在水面时,吹除压载水只需用低压空气。在应急情况下,不少潜水器所携带的高压空气除了作正常的可变压载舱的控制外,还用作吹空主压载水舱的压载水,以减轻潜水器的重量,让它从工作深度迅速上升出水。

(5)用人工吹除压载水

过去,有少数潜水器在耐压壳内设有手摇泵,如果压缩空气吹除系统发生故障,就可用手摇泵将压载舱内的水排出舷外,这仅仅是作为压缩空气吹除系统的一种备用手段。现代载人潜水器已不再使用该技术措施。

(6)人员外出脱险

过去和现在的潜水器,有1/3以上都能让舱内人员从潜水器内出来,以便当所有应急措施都失效时,使舱内人员离开潜水器而安全出水。这种方法原理很简单,可以分为两类:

①从吹除压载用的压缩空气箱引出压缩空气输入耐压舱,使舱内压力等于外界压力,

这时便允许舱内人员把舱口盖打开,让海水进入舱内然后人员离开潜水器上升出水;

②打开潜水器壳体贯穿阀,让海水进入耐压舱,这样舱内的空气由于受到海水压缩而使压力提高,等到舱内空气的压力与外界压力相等时,舱内人员便可打开舱口盖游出水面(在有些潜水器上,可以同时使用这两种系统)。

在设闸舱外出式潜水器的外出舱口位于潜水器的底部,当内部压力等于外界压力时,舱内可不必进水就能让人员外出。

但不管采用哪一种方法,凡属成功的逃生者当居住舱注满海水并打算游泳出水面时,他必须保持格外镇静。这种方法的缺点是容易发生减压病、氮麻醉、氧中毒,而且使人感到寒冷和紧张。作为成功的脱险人员外出脱险系统必须要加压迅速,操作简便,能抵御寒冷的海水并有帮助出水的浮力器材。

(7)释放耐压壳

美国海军潜水器"阿尔文""海崖""龟"和"麦卡卡爱"号的结构形式能使其耐压壳通过机械的作用与外部结构相脱离,从而借助于耐压壳本身的正浮力将其内部人员带到水面。所有潜水器有关这方面的操作原理都相似,因此将"阿尔文"号的释放机构(2)作为代表予以介绍。"阿尔文"号由两部分组成,即前段和后段,前段包括人员居住球舱、指挥台、主压载系统,应急电池电源和所有生命支持设备。它具有 $800\sim900$ lb①($360\sim400$ kg)的正浮力。潜水器的其余部分都属于后段,后段的框架在耐压壳的下面部分向前伸出作为耐压壳体的支架。当潜水器处于"中性浮态"时,后段壳体的负浮力正好与前段壳体的正浮力相等。机械释放机构将这两部分壳体结合在一起。在潜水过程中,机械释放机构处于张紧状态。当潜水器在甲板上时,释放机械是松弛状态。前段壳体由后段壳体的支架来支承。

释放机构由轴、密封组件、两只弹簧加载的搭钩和两只挂钩组成。弹簧搭钩属于后段壳体,而挂钩被刚性地固定在耐压壳体上。轴从耐压壳体的底部中心处穿过。当用一只合适的扳手转动这根轴时,就带动凸轮转动,凸轮转过 1/4 圈,两只搭钩合拢,从而将挂钩脱开。于是前段壳体就随同它内部的人员一起上升到水面,如图4.7所示。

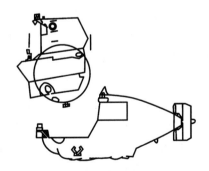

图4.7 "阿尔文"号人员居住球舱的应急释放

当到达水面时,球舱所处的位置是值得考虑的一个问题。在有控制的条件下进行了浅水(18 ft)释放试验。"阿尔文"号潜水器能保持围壳向上的位置上升到达水面,舱内不需进

---

① 1 lb≈0.454 kg。

水,人员即可把舱口盖打开。但是当它从 12 000 ft 水深处出水时,作用在围壳上的阻力可能会使球舱处于舱口盖向下的状态。早期日本"SHINKAI 6500"号上的可释放人员营救舱的位置示意图,如图 4.8 所示。

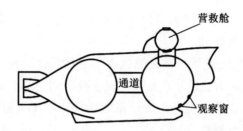

图 4.8　早期日本"SHINKAI 6500"号上的可释放人员营救舱的位置示意图

(8)可充胀的浮力袋

"大陆架潜水员"和"技术潜水员"号两艘潜水器在它们耐压壳体外部设有应急浮力袋,必要时可供选择使用。这些浮力袋用二氧化碳充胀,充胀过程可以是自动的,也可以是手动的。

2.缠绕

潜水器发生缠绕时,应采取什么措施取决于缠绕物的性质。如果缠绕物的重量相当轻,足以把它带出水面,可以利用潜水器正常的或应急的吹除压载的出水方法。否则,必须按照"丧失正常出水能力"的操作方法来处理,即抛弃被缠住的部件,释放载人舱让舱内人员离开潜水器。除此以外,如果生命支持系统还有足够持久能力的话,那么在应急措施中还应包括等待水面母船或其他潜水器帮助的这种处理方案。防止潜水器发生缠绕的最重要一条是使潜水器具有光顺平滑的壳体。如果潜水器上一定要设置这些可能会发生缠绕的部件,那么它们应当是能够抛弃的。

3.进水

潜水器上除了耐压壳体以外,其他舱室也会发生进水,而这种舱室对潜水器的安全性也相当重要,它们包括电池舱、主压载舱、可变压载舱、马达和其他设备安装舱。探测舱室是否进水可有不同的方法,例如在舱室中安装一种自带电源的成对电极系统,当海水将两个电极接通时,便会发出报警信号。佩里公司制造的潜水器上,这种传感器设置在前后电池舱内,它们安装在一根聚氯乙烯管内构成一对电极,每对电极由它自带的 9 V 电池作为电源。当发生进水情况时,便会同时发出灯光和音响信号通知驾驶员。

载人舱内是否进水,舱内人员凭视觉就可发现,因为在潜水器这样狭小的范围内,这是不难做到的。根据进水部位、性质和程序,通常的处理方法是浮出水面。如果耐压壳体发生严重进水,那每种应急吹除压载系统都可能要用到,以便让潜水器迅速出水和降低漏泄部位与外界海水之间的压差。为了处理进水情况,佩里公司制造的几艘潜水器,在耐压壳体内安装了一台纵倾平衡泵,并通过一只舷外排出阀将进入舱内的水泵出舱外。

漏泄未必一定都属于危急情况。例如"本·富兰克林"潜水器在墨西哥湾 600 ft 和700 ft 水深之间进行潜航时,水进入了潜水器。这种漏泄发生在电气杯形管节盒与潜水器壳体之间,数量相当少,只不过偶尔有些海水滴。当潜水器向较大深度(1 500 ft)下潜时,由于外部水压增大,把壳体与杯形管节紧压在一起,于是漏泄也就停止了。"海底漫游者600"号曾经采用高压空气引入耐压壳体的方法来控制进水,但该方法并不可取。一方面,除非潜水器能迅速上浮出水使舱内的气体压力下降,否则会使下潜人员患上减压病;另一方面,上升速度太快会使舱内人员引起气栓病。

4. 火灾

可能产生的火灾主要是电气设备起火,因此潜水器上应带有一个或几个干型化学灭火器。这些灭火器不应放出大量有毒气体或蒸汽,对周围设备的影响也应该是最小。当在使用这种灭火器的时候,为了确保安全,建议舱内人员佩戴应急呼吸装置。

5. 失去正常生命维持能力及舱内出现有毒有害气体

如果潜水艇的生命维持系统失效或供人员呼吸用的气体被耗尽或者舱内出现对人体有害的气体和气味时,其解决办法都是相同的,即使用应急呼吸装置并在允许的情况下尽可能快速浮出水面。

一般情况下,从生命支持系统失效或发现舱内出现有害气体到决定穿戴应急呼吸装置,这中间存在一个过渡区。例如,强制舱内空气通过二氧化碳系统的鼓风机发生故障,此时可能潜水器正处于常规出水和回收操作的深度处,人员不需要使用应急呼吸装置。就实际情况来说,"本·富兰克林"号在执行三十天潜航任务第一阶段时,舱内发现一氧化碳。虽然一氧化碳这种气体当其浓度达到足够数量并超过一定时间后会对人会有致命的危险,但当时决定只要一氧化碳浓度未到达 50 ppm,可以继续进行安全航行。事实证明,这个决定是正确的,由于做了这样的决定才完成了这次漂流任务,而且当时及以后均没有发现潜水器内人员由此而造成任何后果。

另外,火灾是潜水器上最容易产生有毒或有害气体的根源(当然不是唯一的),因此当发生火灾时,应当立即做出决定。由于可以利用仪表来监视生命维持系统的工作情况,因此对于生命维持系统的失效或不充分情况是很容易确定的。但由于产生有毒或有害气体的来源是多方面的,因此要测量它们的释放量就很不容易。例如暴露在这样的环境下,下列很多项目都可能由于挥发而失去溶剂、增塑剂和非合成物质:

(1)表面涂层

①合成纤维或天然纤维纺织而成的绳索;

②塑料薄膜;

③模压和浇铸塑料产品;

④导线绝缘材料;

⑤绝热材料。

(2)胶黏剂

①电子元件的封装化合物;

②硅油,有机润滑剂和液体;

③金属尘埃及其氧化物;

④浇铸的混合物。

(3)散发出臭氧的电子和电气设备

①磁带。虽然潜水器上所使用的应急呼吸系统种类很多,但基本上可把它们分成两

类:开式和闭式。

a. 开式呼吸系统。这种系统之所以称它为开式系统是因为人员的吸气是直接来自气源,而呼出的气体却被直接排入周围大气中。大多数潜水器所采用的开式应急呼吸系统都是在自持式呼吸器的基础上改进的。这种应急呼吸系统的组成是:(a)一只口罩和压力调节器组件,后者通过高压管与潜水器的低或高压吹除压载的气源相连接;(b)组成部件与(a)相同,但与其相连的气源可以是可携带的或固定式压缩空气箱。还有一种例外的型式是口罩、调节器和气体管道,它们与设置在耐压壳体内不可携带的压缩氧气箱相连接。无论是可携带还是不可携带的应急呼吸系统都具有使用简单、可靠、成本低廉的优点。这种系统通过佩戴一只面罩来保护眼睛。开式呼吸系统的缺点是人员呼出的气体会使舱内压力升高,甚至达到需要对人员考虑减压的程度。

b. 闭式呼吸系统。在闭式呼吸系统中,人员从呼吸袋获得吸气,而每次呼出的气体经过净化罐净化后再回到呼吸袋。闭式呼吸系统的基本组成包括氧气源、调节器、气体测量装置、呼吸袋、口罩或面罩、二氧化碳吸收罐和气体输送软管。由于这种系统把已用过的气体在系统内部形成循环,因此不会使舱内压力增加,缺点是经压缩的氧气具有毒性。虽然潜水器的舱内压力通常维持在一个大气压力,但是若舱内压力增加一倍($29.4 \ lb/in^2$),逗留时间一旦超过 40 min,就会发生氧中毒。大多数潜水器由于舱内保持着或接近一个大气压力,而且人员穿上闭式呼吸系统,在呼吸过程中不会使耐压舱内增多气体,因此不大会存在由于压力升高而导致氧中毒的潜在危险。然而在设闸舱式潜水器中,潜水员可能会处于超过 $29.4 \ lb/in^2$ 的舱内压力环境下,因此使用闭式供氧系统急呼吸系统肯定是危险的。正因为如此,本书所提到的所有设闸舱式潜水器都不用闭式供氧系统来作为应急呼吸系统。

一个应急呼吸系统能使用多长时间是很难预先确定的。潜水器上使用的闭式呼吸系统应其供氧能力为 1~4 L/h。然而关键在于使用这些闭式系统的人的活动量。应急情况下,一般人的呼吸都会加剧,供应急呼吸用的气体会比轻松状态下消耗得更快。另外寒冷和体力消耗也会使耗气速度加快。对于舱内人员在应急情况下的理想状态是保持镇静并缓慢而均匀地呼吸,以减少气体的消耗量。有些人当遇到紧张情况时能够控制自己,但也有些人却无法控制这种紧张心理。因此总的来说,应急生命维持系统的最大支持能力,大体上只是一个理智的近似值。

c. 氯酸盐烛。氯酸盐烛虽然在潜水器上很少应用,但它是另一种应急氧气源。氯酸盐烛由82%~88%的氯酸钠,3%的过氧化钡以及一些黏结材料组成。当氯酸盐烛点燃后,发生化学反应,在该化学反应中释放出高纯度的氧气,其释放速度主要取决于烛的横截面积。所产生的氧气可以通过一只滤器以清除盐雾,并使氧气冷却。

6. 丧失电源

潜水器失电意味着失去水平范围内的机动能力,失去外部照明,避碰声呐失去作用。不少潜水器还可能意味着丧失正常的生命维持能力,或许还意味着丧失水下通信能力。

如果潜水器上方没有障碍物,丧失机动能力,失去照明,避碰声呐或其他作业仪表失去作用本身并不算是危险的情况。在这种情况下,潜水器操纵者把自己所处的困境告诉水面支持母船,然后利用不需要电源的吹除压载系统或利用应急电源抛弃压载物的办法使潜水器出水。如果潜水器的吹除压载系统具有“失事保护”特性,如“蛟龙”号载人潜水器,丧失电源便自动抛弃压载物,那么当潜水器丧失电源时便能自动出水。

但如果潜水器失电的应急情况发生在一些特殊场合,如当潜水器处于冰层下面,在悬伸的峡谷之中,位于电缆或安装在海底的一些设备下面,则情况就会变得严重。唯一可以解决的办法是等待水面的援助。对于具有失事保护性能自动抛弃压载的潜水器,除了上升出水外,不存在等待水面援助的可能性,因为丧失电源后就无法用它的垂直推力器使潜水器停止上升。这种具有自动抛弃压载的潜水器,当自动抛弃装置发生动作之前,应当有一定措施以考虑这种偶然出现的情况,从而不让潜水器上浮。但从历史上来看,潜水器很少遇到在垂直上升时会出现危险的情况。因此,丧失横向机动能力、失去照明以及其他仪表设备无法投入工作等,其造成的后果仅仅是使作业任务中断,延误潜水作业计划。

丧失动力虽然对大多数生命维持系统来说,不是一个严重问题,但会给它带来不利影响。因为氧气是依靠它的储存压力把它输入舱室的,因此丧失电源对氧气的供给不会有影响。传统的二氧化碳清除却需要有电力带动的鼓风机才能让舱内气体循环通过二氧化碳洗涤器。如果洗涤器失去作用,舱内的二氧化碳浓度就会升高。目前的主流载人潜水器均通过自然对流的方式让舱内气体循环通过氢氧化锂吸收罐。

为应对潜水器失电状况,一般配备多个独立电源系统,如"蛟龙"号载人潜水器,除主电池箱外,还在舱外配备了副电池箱,在舱内配备了应急电池。当电源发生故障时,便利用应急电源电池来抛弃设备或重物,同时根据各艘潜水器的具体情况,还可供水下电话,水面无线电或水面闪光信号灯的用电。

20 世纪 70 年代研发的一些浅水潜水器具有不需要电源便可抛弃重物或吹除压载水的能力。吹除压载水时,只要在耐压舱内操作一支手控阀把高压空气引入设在外部的压载舱,便可把压载水通过水舱底部开孔排出。随着潜水器上升,压载舱内的气体便发生膨胀,从而不断地通过底部开孔向外排出气体,这样,舱内压力便始终与外界环境水压力相等,外面的海水也就不会灌入舱内。当需要抛弃重物时,只需转动一根贯穿耐压壳体的实心轴,从而驱动一个像凸轮样的释放机构。

4.2.2 水面应急状况处置

通常在潜水器出水以后要找到它的位置往往要花费一些时间。当海面十分平静的时候,凭人的眼睛要找到出水的潜水器是相当容易的,但如果海面上出现波浪,哪怕只有几米高,也会使很矮的潜水器轮廓变得很难发现。对于那些外表为白色的潜水器,而且又处于泛有白色浪花的海面上,这时潜水器便与背景混在一起,是最难发现的。尤其是在夜晚进行这样的搜索就显得更为麻烦。当然借助于潜水器上灯光确定它的位置,有时夜晚比白天会容易些。利用支持母船上的雷达来确定潜水器的位置是不太现实的,因为潜水器的目标很小,不可能获得海上雷达信号。

如果潜水器与母船失去了联系,首先关心的是它生命维持的持久力。大多数潜水器在它们的舱口周围都设有围壳,在中等海况下,允许把舱口盖打开而海水不会淹入舱内。有些潜水器其舱口与耐压壳体制成一体,而且高出水面几米,这样就允许打开舱口盖。少数潜水器的舱口结构没有这些特点,它们只得靠设置在舱口周围可充胀的围筒或其他设施。

有关这方面的设计将在下面进行讨论。在表4.3中列出了潜水器在水面出现应急情况时所采用的排除/辅助系统及操作程序。

表4.3　潜水器应急排除/辅助系统（在水面）

应急情况	仪表
与母船失去联系	无线电
	水下电话
	闪光灯
	无线电信号
	遇险信号火箭
	烟火信号
呼吸气体耗尽	打开舱口盖(在有围壁时允许打开)
	在舱口周围设可充胀的围壁通道
	可充胀的浮力袋(增加干舷高度)
	通气管
	外部气体补给接头

1. 与水面支持母船失去联系

潜水器带有以下仪器设备以便与水面联系,从而使潜水器和它的水面辅助船汇集到一起。

(1)无线电

无线电具有两方面的主要作用:

①依靠无线电通信,以证实潜水器已经出水;

②证实水面支持母船是否已经确定了出水潜水器的位置。

如果还没有确定潜水器的位置,则潜水器操作者要配合母船确定位置。除了上述两方面的主要作用外,无线电水面通信的第三个作用是适用于那些在出水面后没有常规观察设施,但有无线电天线可以通过壳体上杯形管节向外伸出的潜水器(例如 DS-4000 号、SP-500 号、SP-3000 号)。在这种情况下,利用无线电通信把母船和潜水员处理潜水器有关回收现场的情况告诉潜水器内的操作者。下潜以前,还可用无线电通知支持母船,潜水器已做好了下潜准备。

如果潜水器上所用的无线电频率与支持母船的通信系统相匹配,而且支持母船上装有无线电探向器,则还可利用无线电讯号帮助寻找潜水器。

(2)水下电话

水下电话是无线电的备用设备,可以做水面通信设备使用。很明显按这种方式使用时,电话的换能器必须位于海面以下,有几艘潜水器在它的底部还有第二只电话换能器,以供备用的通信系统使用。然而,大多数潜水器都是把换能器安装在它的顶部,在潜水状态下作为与水面联络用,潜水器出水后,这种换能器由于露出水面而失去了作用。

（3）闪光灯

为了便于母船在夜间寻找潜水器,许多潜水器在它们的顶部都装有一盏氙闪光灯,在舱口盖关闭的情况下,可以在潜水器内对这盏闪光灯予以控制。对于没有这种闪光灯的潜水器,如果其舱口处有防止海水淹入的设施,则可以打开舱口盖,利用手提灯或手电筒来达到同样目的。水面支持母船可以利用潜水器的水下灯光作为辅助定位设备,但由于是水下灯光,因此它们的使用受到一定限制,发现的距离不可能太远。

（4）无线电信号

只有少数潜水器装有自带能源的独立式无线电应急信标。"深探"号是装有自带能源应急全向信标发送出 121.5 MHz 的信号来帮助寻找目标位置。

（5）求救火箭和烟火信号

如果利用上面介绍的各种设备还不能确定潜水器的水面位置,那么在美国历史上,至少有七艘潜水器是利用求救火箭和烟火信号通过观察来帮助确定潜水器的位置。利用求救火箭可以知道潜水器的大致位置,同时也可表明潜水器已处于非常困难的情况。闪光烟火、烟筒和染料都具有上述相似的作用,而且人们可顺着这些烟光找到发出信号的潜水器。

在潜水器的有限空间内携带烟火器材,会增加燃爆安全风险,目前的潜水不再采用这类应急措施。

2. 呼吸气体耗尽

潜水器出水后,当出现下列几种情况时,需要把舱内气体向外排除或者给舱内补充气体:

①潜水器与水面支持母船完全失去了联系,使潜水器漂流时间很长耗尽了生命维持系统的全部支持能力;

②由于海况恶劣无法将潜水器回收,须将潜水器作长距离的拖曳;

③正常的舱内气体受到了污染。

最简单的办法只需把舱口盖打开放出舱内气体。绝大多数潜水器可以采用这种方法,但它受到海况的限制。很多潜水器在其舱口周围设有高出水面 3~4 ft 的防水围壁,这种设施能在六级以上的海况下不让海水淹入舱内。为了避免海水淹入,可在结构上进行专门考虑。

（1）可充胀的舱口围筒

在舱口周围设置了一个可充胀的围筒。当充胀时,便成了防止海水淹入的一种设施。例如,"DS-4000"号,在其舱口周围装有一个可充胀到 39 in 高的围筒。利用安装在外部的压缩空气瓶给涂有橡胶的尼龙指挥台充气。只要转动耐压球体内的一根机械轴就可控制对指挥台充气。当潜水器处于正常使用状态时,充胀式围筒存放在一只玻璃钢制的槽内。储存护壳顶部装有一只玻璃钢盖,它正好与潜水器的流线型外壳合成一体当充气围筒上升时,将顶盖上的弹簧门钩弹开,顶盖便打开。

（2）可充胀气囊

美国海军"麦卡卡爱"号在水面时舱口处的干舷大约为 1.5 ft。因此在正常情况下操作者出入潜水器是当它位于支持母船上时进行的。考虑到在应急情况下操作者需要从潜水器出来的情况，因此设置了一个专门的系统，它既可提高干舷又可获得潜水器的水面稳性。这个系统由 4 只气胀式橡胶圆筒组成，在正常情况下，它们卷成筒形存放在容器中，这些容器固定在潜水器的框架上。圆筒所需的气体由一只容量为 70 ft 的自持式呼吸器气瓶供给，并由一只电磁阀予以控制。当橡胶圆筒被充胀后，能给潜水器提供 55 ft³ 的附加排水体积，从而使舱口位置升出水面约 4 ft 的高度。这个系统还考虑到，如果把一只或两只电池箱释放，仍可使潜水器保持稳定。

在一些用丙烯酸塑料作耐压壳材料的潜水器中（"乃莫""麦卡卡爱""约翰逊海联"号等），只有"麦卡卡爱"号安装了防止海水淹入舱的设施。但即使是"麦卡卡爱"号也只在平静的海面条件下才能打开舱口盖，否则为了考虑安全，只有潜水器回到它的支持母船上时，才允许舱内人员打开舱口盖。可胀式气囊使"凌卡卡爱"号的干舷提高到约 4 ft，从而保证人员能安全外出。

（3）通气管

有几艘浅水潜水器和早期的"FNRS-2""FNRS-3"号深海潜水器都有简易的通气管设施，它只要打开一只阀，外界的新鲜空气便能进入舱内。

4.3　潜水器重大设备故障及处理措施

载人潜水器在水下工作时由于极端环境或者偶然载荷的影响，可能会发生故障，由于载人潜水器是水下工作人员唯一的保障装备，关系着水下工作人员的生命安全，任何故障都需要及时重视并处理，本节将介绍各系统容易出现的故障和处理方法。

4.3.1　耐压壳体漏水故障及处理措施

载人潜水器的耐压壳体主要包括载人舱、可调压载水舱、计算机罐、配电罐以及其他的小型声呐主机罐，载人舱是载人潜水器的关键部件，一旦发现渗水，此时应抛弃所有压载并抛弃水银、主蓄电池，以最快速度上浮到海面待救。可调压载水舱漏水后浮力不变，但潜水器质量增加，设计时可调压载系统是可以调节一定质量的浮力，所以可调压载舱的漏水会增加质量，此时应立即抛弃可弃压载并抛弃水银，紧急上浮；至于其他耐压壳体，如计算机罐、配电罐等，它们的损坏也将导致浮力的损失，按照耐压壳体中全部漏入海水计算，在抛弃上浮压载后潜水器可正常上浮。同时还要考虑可调压载水舱和其他几个耐压壳体同时漏水时对潜水器的影响。不同耐压壳体损坏所引起的后果是不同的，所采取的应对措施也是不一样的。具体措施如图 4.9 所示。

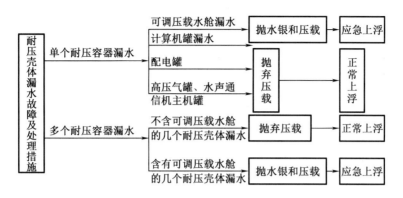

图4.9　耐压壳体漏水故障及处理措施

4.3.2　上浮/下潜抛载机构故障及处理措施

上浮/下潜抛载机构是保证潜水器上浮和下潜的关键设备,每一套机构均进行了冗余设计,载人潜水器上一般有多套上浮/下潜抛载机构,分别布置在潜水器的两舷,下潜抛载机构是在潜水器无动力下潜到海底时进行抛载动作,保证潜水器在海底的零浮力状态;上浮抛载机构是在潜水器作业完成后进行抛载动作,使得潜水器获得正浮力而上浮。如果由于某种无法预知的原因导致压载块不能正常释放,必须采取果断措施进行应急处理,让潜水器上浮到海面待救。以"蛟龙"号载人潜水器为例具体的抛载机构故障情况及采取措施如图4.10所示。在下潜时可能的故障为300 kg下潜压载没有正常抛弃,在完成作业上浮时,可能的故障为1 000 kg上浮压载没有正常抛弃。

4.3.3　液压及作业系统故障及处理措施

液压源是为作业工具、机械手、抛载机构和切割装置提供动力的,潜水器上设有两套互为备用的液压源,其中一套发生故障不会危及潜水器安全,但为了确保潜水器的安全可靠性,此时应该上浮;一旦两套液压源同时发生故障,应立即使用电磁铁抛弃压载上浮。机械手危及潜水器安全的故障是被缠绕,如果缠绕发生在手爪,可以将手爪脱离来解脱;如果缠绕发生在其他部位而无法解脱时,可以利用另外一只机械手来帮助解脱,如果不成功则应启动切割装置来将机械手抛弃。作业工具除钻结壳取芯器外均由机械手操作,发生缠绕或卡住的故障时,处理方式与机械手故障相同。钻结壳取芯器自带脱离机构,如果由于钻头被卡死而无法解脱时可以将其抛弃。机械手或作业工具故障解除后,潜水器依然可以执行其他相关任务而不需要上浮。

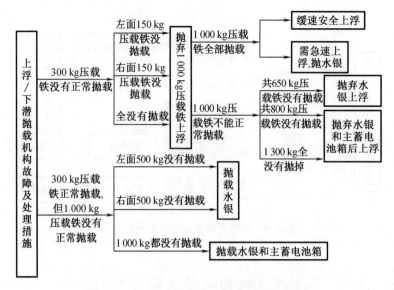

图 4.10 上浮/下潜抛载机构故障及处理措施

4.3.4 重量调节系统故障及处理措施

重量调节系统包括压载水箱系统、纵倾调节系统和可调压载系统,压载水箱只是当潜水器在水面时发生作用,仅仅对潜水器的干舷产生影响,对起吊状态不利,但不会影响潜水器的起吊,更不会危及潜水器的安全。纵倾调节系统发生故障时,对潜水器的静态纵倾调节能力产生影响,不会危及潜水器安全,可以执行平坦地区的各种任务。可调压载系统故障时,无法调节潜水器的浮态,此时不能进行取样作业,如果此时潜水器浮态已经稳定,可以考虑在海底进行观察作业;如果潜水器的浮态不稳定,必须抛弃压载上浮。

4.3.5 声学设备故障及处理措施

载人潜水器一般备有多套声学设备,它们负责潜水器与母船的通信联系、潜水器定位、海洋水流测量、目标和障碍物检测等任务,是潜水器上的重要设备,它们的故障会降低潜水器的能力,其中有些设备的故障对潜水器产生潜在的不安全因素,对不同的故障应有不同的应对策略,具体见表 4.4。

表 4.4 声学设备故障及处理措施对应表

声学设备名称	故障状态	故障危害评估	处理措施
水声通信机	其中一套故障	较低	系统有备份,可以继续作业
	全部发生故障	较高	用水声电话通信,潜水器应返航

表 4.4(续)

声学设备名称	故障状态	故障危害评估	处理措施
定位声呐	无法定位	中等	可以通过惯性导航航行,但误差较大,视情况决定是否返航
避碰声呐	用于高度测量的故障	较高	失去潜水器与海底距离检测,比较危险,应返航
	其他避碰故障	中等	应减速航行,根据作业区域情况,决定是否返航
多普勒声呐	无法工作	较低	只对航行自动控制有影响,可以继续作业
扫描声呐	无法工作	较高	不能了解潜水器前方区域情况,不能作高速巡航作业
测深测扫声呐	无法工作	较低	可以继续作业
运动传感器	无法输出数据	中等	影响控制和导航系统,影响测深侧扫声呐和多普勒测速仪数据精度,但不影响潜水器安全
声学主控机	无法正常工作	较高	水声通信机、避碰声呐、多普勒测速仪失效,应启用水声电话

4.3.6 电气和推进故障及处理措施

电气和推进故障及处理措施见表 4.5。

表 4.5 电气和推进故障及处理措施对应表

设备名称	故障状态	故障危害评估	处理措施
蓄电池	任何一组无法供电	很高	立即返航
	24 V 副电池无法供电	很高	系统会自动抛弃压载上浮
推进器	任何一只无法工作	较高	潜水器航行会有问题立即返航
配电系统	配电设备	较高	返航
	动力电缆故障	很高	立即返航
	信号电缆故障	中等	切断,视情况决定
舱外计算机	不能正常工作	很高	重新启动,不成功立即返航
舱内显控	不能正常工作	较高	重新启动,不成功立即返航
航行控制	不能正常工作	较高	重新启动,不成功立即返航
姿态传感器	不能正常工作	中等	如果影响到潜水器的安全航行就返航
观察设备	不能正常工作	较低	如果单一的设备故障可以继续作业,全部故障则返航

水密电缆是负责动力传输和信号传输的,线路的故障将直接导致设备无法运作,在某

一个设备无法正常工作时应首先切断供电电源,防止由于电缆损坏引起的故障对潜水器整体的影响,同时根据设备无法运作带来的影响进行分析,决定采取的对策。在 7 000 米级载人潜水器上共安装有 7 只接线箱,它们是设备、供电、控制、信息采集等各个系统之间的中继站,是电力和信号传输的通道,接线箱是充油式压力补偿的容器,一旦接线箱发生泄漏将产生比较严重的后果,必须立即返航。表 4.6 是接线箱故障对相关设备影响的对应表。为预防接线箱发生故障,在潜水器下潜准备时必须检查每一个接线箱补偿油情况,保证接线箱补偿油量达到要求;在潜水器完成作业返航后,必须检查每一个接线箱内补偿油情况,并取样品分析其绝缘性能。

表 4.6 接线箱故障对相关设备影响的对应表

接线箱名称	故障影响
左舷接线箱	备用 24 VDC 电源失效; 计算机网络通信信号无法传递; 4 只水下摄像机及 1 只照相机和云台失效; 液压源、推力器无法正常工作; 水声电话和 VHF 无线通信机失效
右舷接线箱	推力器手控信号失效; 舱外的科学考察设备失效; 潜钻失效; 主蓄电池箱箱体的应急抛弃失效; 纵倾调节失效; 上浮/下潜压载的电磁铁动作,抛弃压载
观察系统接线箱	8 只水下灯、3 只水下摄像机、1 只照相机及 1 个云台失效
作业系统接线箱	主从式机械手和两只作为备用设备的取样器失效
航行控制检测接线箱	7 只推力器动力源和控制信号失效; CTD 传感器失效; 左、右桨回转机构失效,艏、艉纵倾调节罐水银指示器和可变压载水舱液位传感器失效
声学系统主接线箱	所有声学设备失效
声学系统副接线箱	水声通信机失效

4.3.7 生命支持系统故障

生命支持系统是保障下潜人员生命的重要系统,任何危及乘员安全的故障或潜在危险都是不允许的,因此,载人潜水器在载人球壳内一般安装了多套相对独立的供氧系统,任何一套系统正常工作即可保障乘员呼吸的需要。生命支持系统由氧气瓶、供氧装置、二氧化碳吸收装置、呼吸面具系统和各种舱内大气环境检测显示设备组成,其中任何一种设备发生故障时,应立即启动另外的一套相应装置来保障系统的运行,并立即上浮返航。

4.4　潜水器应急事故与处置

自从出现近代深潜事业诞生以来,发生过种种近乎致命和致命的险情,这些险情对许多潜水器的脱险能力或者在应急情况下的耐久能力来说是一种考验。

4.4.1　典型历史事故及处置措施

相关研究人员曾经对约20起大小事故进行了分析研究,发现诱发潜水器出现应急事故的主要因素包括浮标、水下障碍物、正常出水能力缺失、缠绕、失电、母船失联、环境危险物以及操作失误等,随着经验积累和技术进步,事故发生概率在大幅减少,主要诱因也发生了变化。典型历史事故及见表4.7。

表 4.7　载人潜水器典型历史事故及处置措施

诱因	潜水器	事故经过	处置措施	时间
浮标	PC-3B	直径 0.25 in 的水面浮标尼龙绳挂在露出海底的岩石上,致使潜水器不能前进	后退,左右回转运动挣脱	1965 年 6 月 5 日
	SP-350("潜蝶")	系有水面浮标 330 ft 长的尼龙绳被钩在 100 ft 水深处的珊瑚头上,操纵发生困难	通过潜水器来回运行才使尼龙绳脱开	1959 年
	PC5C 佩里公司的潜水器("大陆架潜水员"号)	跟踪母船钩住了浮标系绳,以致使潜水器偏离了航向	在潜水器上加配一只系绳解脱/切割器,以便当遇到缠绕情况时将系绳割断抛弃	
水下障碍物	"阿谢拉赫"号	在一个受波浪影响较大的深度范围内作业,潜水器撞到一个水下障碍物上,观察窗发生了破裂	在观察窗口前面安装了外部防护设施	1964 年
	SP-350	镍镉电池发生短路。在抛弃压载重物后,潜水器便开始上升出水,在上升途中,由于黄铜制的电池箱内产生的气体发生爆炸,从而使潜水器又下沉	抛弃了 450 lb 应急重物以后上浮	1959 年

表 4.7(续 1)

诱因	潜水器	事故经过	处置措施	时间
丧失正常出水能力	"深星-4000"号	在 4 000 ft 的水深海底进行岩芯样时，在它流线型外壳的凹腔内聚积了约 100 lb 的淤泥，可变压载瓶管节的银焊接缝有缺陷，使瓶内进了 80 lb 海水，面密封受到机械地卡住，使液压系统发生故障无法抛弃上升重物	在抛弃艏部电池组以后（450 lb）潜水器便上浮	1966 年10 月 25 日
	"南鱼座-3"号	潜水器后部设备舱阀门未按要求关闭，进水，吹除主压载舱压载水后，潜水器失衡以接近垂直的仰首位置，下沉着底	由正在同一海区进行海试的加拿大国防部"SDL-1"号将起重绳索带到水下并系在"南鱼座-3"号左马达的防护装置上，用绞车回收到水面	1971 年
缠绕	"深探"号	在 430 ft 水深处进行回收试验时，与一条直径 3/8 in 的聚丙烯绳发生了缠绕，并把这条绳索卷进了潜水器的左推进器内	把"自游生物"号运到现场，并在它的机械手上安装了一把潜水员刀，割断了缠住在"深探"号上的绳索	
	"约翰逊"号	在 360 ft 水深处被失事驱逐舰索具所缠绕，铝质舱内温度过低（约 40 F）致使二氧化碳吸收剂(钡石灰)失效，引起二氧化碳中毒致使铝质耐压舱内两名人员死亡，丙烯酸耐压舱内两人幸存	"PC-8"号避碰声呐失效，救援未果，利用带有电视和抓钩的装置放到潜水器处，潜水器驾驶员通过水下电话控制抓钩钩住潜水器后，挣脱	1973 年6 月 17 日
	"南鱼座-3"号	母船抛出的牵引索钩住了潜水器后部机械球舱的舱口盖，舱口盖撕裂，球舱进水，艉部先着地沉入 1 575 ft 深海底	"南鱼座-5"号用声呐罩搜索"南鱼座-3"号，利用由"南鱼座-5"号固定在"南鱼座-3"号推进器保护框架上的绳索作为信号浮标，把一只声源沿着这条绳索向下滑到"南鱼座-3"号所在的位置用来帮助导航，"南鱼座-2"号和缆控潜水器（CURV）合作系缆回收	1973 年8 月 29 日

表 4.7(续 2)

诱因	潜水器	事故经过	处置措施	时间
缠绕	"TS-1"号	在北海 275 ft 水深处进行管道检查的过程中,一条绳索卷进艉部推进器内,使潜水器受困海底	缠绕 6 h 后,潜水员切断牵制绳索,潜水器利用自身动力上升出水	1974 年 10 月 14 日
丧失电源	"星-3"号	由于电池箱压力补偿不足而发生故障,丧失了全部电源	通过吹除主压载舱的压载水使潜水器返回水面	1966 年 8 月
	"格皮"号	接线柱处有 0.012 in 的误差导致一台推进马达进了水,结果使 440 V 的交流电源发生严重短路	按正常操作方法,即收卷动力电缆把潜水器回收出水	
	"海狸"号	推进系统电路发生短路,推进马达供电发生中断,耐压壳体内产生电弧光和烟雾,接线盒的油补偿系统泄漏	按正常操作方法,终止作业抛载回收	1970 年 6 月
	"SP-350"号	在 50 ft 水深处作业时,镍镉电池发生短路,由于充有压力补偿油的玻璃钢电池箱导热性能差,致使压力补偿油达到了沸点的温度,起火	抛弃压载重物让潜水器出水,二氧化碳灭火机仍扑不灭火,因此不得不把潜水器重新放下水才扑灭了火	1959 年
	"的里雅斯特-2"号	搜索"长尾鲨"号核潜艇失事潜艇残骸过程中,主推进马达发生严重短路,电池回路中的过载继电器无法跳开,从而使触头之间产生弧光放电,电池电量耗尽,电池电缆熔化		1964 年 7 月
	涡潮级潜艇	在 33 ft 水深处发生内部乙烯基导线绝缘短路燃烧使钟内氧袋很快被耗尽产生了有毒气体,潜水钟内两名人员死亡,设计者后来自杀	支持母船"若潮"(WAKASHIO)号起吊出水	1974 年 6 月

表 4.7(续 3)

诱因	潜水器	事故经过	处置措施	时间
与辅助母船失去联系	"深星-4000"号	由于该海域水下的海流与水面的不一样,使"深星-4000"号与它的支持母船相分离,小功率民用波段(CB)无线电受到电暴的干扰,水面通信不能建立失联	驾驶员点燃小型闪光信号,母船搜索成功	1968 年
	"深星-2000"号	突发暴风和低云层,天气骤变,风力增大到 35~50 kn,海面现 12~15 ft 高的波浪,出水位置超出水面小船和支持母船的可见范围,潜水器与小艇及母船失联	求助海岸警卫队飞机搜索	1972 年 7 月 5、6 日
	"阿尔文"号	在百慕大群岛外海区潜水时,电话通信中断,与母船失联	求助海岸警卫队飞搜索	1965 年
环境危险物(天然的)	"阿鲁明纳"号	误入康涅狄格河出海口淡水区浮态变重,潜水器失去深度控制而迅速下沉	采取吹除压载舱、抛弃铁丸压载物、驱动垂直推进器等措施使潜水器出水	
	"深星-4000"号	在潜水器沿着斜坡向上运行时,偶遇随深度增加而增大的强海流 2 kn 的速度,能见度降低	终止潜水,让潜水器上升出水面。	
	"FNRS-3"号	在土伦港峡谷 4 920 ft 水深的泥质海底上,履带捣碎泥团,产生浊流,能见度降低到 0,躲避浊流穿过峡谷下潜时与 5 250 ft 水深处谷壁碰撞	等待泥浆消散未果,上升 800 ft 水深处才恢复能见度	1955 年
	"阿鲁明纳"号	在西班牙南部海域搜索一枚丢失的氢弹,潜水器框架内产生约 4 000 lb 的沉积物积聚		1966 年 2 月
	"阿尔文"号	在勃莱克海底台地 1 800 ft 水深的海底,遭遇 250 lb 旗鱼,旗鱼嘴戳穿玻璃钢壳板,被耐压球舱所卡住	舱内明显进水的信号	1967 年

表 **4.7**(续 4)

诱因	潜水器	事故经过	处置措施	时间
环境危险因素(人为的)	"深星-4000"号	在加利福尼亚海域,海军舰队把母船误认为是靶船,在其艉部约 200 yb① 区域连投 3 枚直径 5 in 的炮弹	协调停止军演,潜水器退出作业区	
	"海獭"号	检查威廉斯顿湖的本涅特大坝垃圾闸门时,潜水器被 8 kn 流速吸在闸门处,并被水流消除后释放垃圾围困	协调停止发电机组,潜水器解困	
潜水器的布放/回收事故	"阿尔文"号	母船"鲁鲁"号升降机前部左舷钢缆突然断裂,右舷钢缆由于负荷增加相继断裂,"阿尔文"号滑到水中,耐压舱进水,人员侥幸脱险	1969 年 8 月 28 日才把这艘潜水器打捞出水	1968 年 10 月 16 日
	"深星-4000"号	在潜水器布放过程中,吊钩处于部分闭合状态,180° 回转撞击突然打开,潜水器在空中约 5 ft 高度处落水		1967 年 5 月
操作事故	"自游生物β"号	"自游生物 α"号起吊缆绳突然断裂,下沉途中与 β 潜水器相撞,击碎了 β 号观察窗,进水,沉入海底,一名观察员致死		1970 年 9 月 21 日
	"蛟龙"号	西南印度洋热液区下潜作业技术后抛载上浮,抛载机构卡死,右舷压载抛载失败	利用左舷抛载后微小正浮力配合推进器成功上浮出水	2015 年 1 月
	"深海吉普"号	具有"失事保护"的电磁锁紧的压载固定板偶然脱落,结果在驾驶员没有发觉的情况下潜水器便开始上升出水	驾驶员发现后在离水面 30 ft 深度停驻,母船确定位置并清理了水面船舶后出水	1966 年

---

① 1 yb = 0.914 m。

4.4.2 应急处置实施案例

应急处置实施以"南鱼座-3"号的事故经过为例。

维克斯海洋公司的"南鱼座-3"号潜水器在进行回收作业时,后部球形机舱的舱口盖突然被扯掉,海水灌入了球舱,潜水器便沉入离爱尔兰科克港西南 150 n mile[①] 处的 1 575 ft 深的海底。潜水器下沉时,其艉部先着海底,并具有 0.95~1.5 t 的水中重量。发生事故时,维克斯公司的支持母船"航海"号在现场。"南鱼座-3"号的这次潜水于 1973 年 8 月 29 日当地时间 01:15 时开始,经估算,供两名人员的生命维持能力完全能维持到 9 月 1 日中午。假如生命维持的能力为 85.75 h,则可维持到 9 月 1 日 15:00。扣除潜水过程中已经用去的 8 h 3 min,尚剩 77 h 42 min。这次营救所用到以下主要设备。

(1)维克斯公司的"航海"号支持母船,它可支持两艘营救潜水器。

(2)"RFA·SIR(秋斯塔姆)"号:这是离出事地点最近的一艘船舶。当"航海"号去科克港装运两艘营救潜水器("南鱼座-2"和"南鱼座-5"号)时,"航海"号上的通信小组被转移到这艘船上进行工作。经过 11 h,英军舰"海格脱"号到达现场,"秋斯塔姆"号便退出现场。

(3)"南鱼座-2"号:这艘潜水器能潜深 3 500 ft,属于维克斯公司所有。当时它正在北海维克斯公司的"探险"号船上,离英格兰 150 mi[②]。于是由"考美特"号钻机供给船将它运送到"梯道克"码头,然后再运到"梯沙特"机场,由"赫柯莱斯"号飞机运到科克港,最后由"航海"号运输到现场。

(4)"南鱼座-5"号:这是温哥华国际水动力公司的一艘潜水器,能潜深 6 500 ft。当时它正在加拿大东海岸作业,也是通过空运将它从哈利法克斯运输到科克港,然后由"航海"号运送到现场。

(5)"CURV-3"号,这是美国海军的一艘脐带式自航无人潜水器。当时它位于加利福尼亚州的圣地亚哥湾,由飞机将它运到科克港,再由"约翰·卡博特"号运输到现场。

(6)"约翰·卡博特"号:这是一艘与美国海军签订了合同的加拿大电缆敷设船,当时它们泊在英国威尔斯的斯旺西港。它可作为"CURV-3"的辅助船,同时还可作为"南鱼座-3"号的回收船。

(7)"奥拉斯"(AEOLUS):这是美国海军的一艘打捞船,当时正在该海区作业,它奉命进入现场,以提供可能的帮助。

根据"南鱼座-3"号的具体情况而制定的营救方案(图 4.11)是:将一只肘节环钩插入潜水器敞开的球形机舱内,然后由水面设备将潜水器提升到水面。肘节环钩由英格兰的维克斯公司赶制。在失事潜水器"南鱼座-3"号上系三条缆绳:第一条(直径为 4 in 的聚丙烯绳索)由"南鱼座-5"号将其固定到失事潜水器左舷马达防护装置上(起初是系在起吊眼

---

① 1 n mile≈1 852 m。

② 1 mi=1 609.344 m。

板上,但滑脱了,后来才钩住防护装置);第二条(直径为 $3\frac{1}{2}$ in 的聚丙烯绳索)是肘节环钩,由"南鱼座-2"号将其插入球形机舱内;第三条(直径为 6 in 的尼龙编织绳),由"CURV-3"号将其固定在上述相同的位置上,在 60~100 ft 水深处,由潜水员将一条直径为 4 in 的尼龙编织绳穿过"南鱼座-3"号的起吊眼板,而且在水面上也由潜水员将具有 16 t 起吊能力的快速挂钩和 25 t 承载能力的钢缆组件相连接,并系上浮力袋。

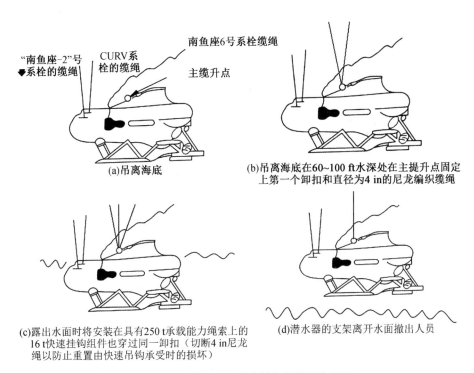

(a)吊离海底

(b)吊离海底在60~100 ft水深处在主提升点固定上第一个卸扣和直径为4 in的尼龙编织缆绳

(c)露出水面时将安装在具有250 t承载能力绳索上的16 t快速挂钩组件也穿过同一卸扣(切断4 in尼龙绳以防止重置由快速吊钩承受时的损坏)

(d)潜水器的支架离开水面撤出人员

图 4.11　"南鱼座-3"号上的起吊缆绳布置图

在整个营救过程中,所有主要营救设备(载人和不载人的潜水器)都发生过故障。可以预计,在任何类似的事故中都会有这种情况,但没有必要对它们作详细叙述。值得提及的倒是"南鱼座-3"号的生命维持能力。

当潜水器沉到海底 15 min 以后,估计它的生命维持能力可以维持到 9 月 1 日 08:00。在 8 月 31 日 12:51 时,估计能维持到 9 月 1 日 12:00,最后在 9 月 1 日 08:30 时,估计完全可维持到中午。这艘潜水器的制造者在广告宣传时声称它的生命维持能力为 72 h。维克斯海洋公司(这艘潜水器的业主)在它的广告小册子中所介绍的生命维持能力为约 60 h,这次比制造厂商宣称的维持能力高出 13~25 h。这可能是属于下述两种情况中的一种:①它确实具有这样大的维持能力;②这是在人员呼吸和运动量都受到控制情况下的数值。

值得"南鱼座-3"号欣慰的是它离开科克港不是 250 mi 而只是 150 mi,因此使它的生命维持能力尚有 1 h 43 min 的剩余。如果从爱尔兰到出事地点的途中时间再多花 3~5 h,那可能会造成潜水器内的人员死亡。

第5章　潜水器布放回收技术

在海面进行潜水器的布放回收作业如同在大深度下进行潜航作业,是十分危险的。载人潜水器的布放回收技术直接关系着载人潜水器的安全运维,是载人潜水器研发与应用领域的一项重要研究内容。在世界载人深潜发展的历史上,出现的很多重大事故与潜水器布放回收有关,在一定程度上,潜水器布放回收技术是影响载人深潜器应用的重要因素。经过近半个世纪的研究,载人潜水器布放回收技术已经趋于成熟。潜水器的布放回收技术主要包括潜水器水下布放回收、潜水器水面布放回收以及水面支持母船设计技术。

5.1　潜水器水下布放回收

潜水器水下布放回收主要指利用水下平台进行布放回收,水下平台主要包括潜艇和专用水下布放回收平台。潜水器水下布放回收的最大技术优势是可以克服恶劣海况在潜水器布放回收过程中造成影响。

5.1.1　水下潜艇布放回收

利用潜艇在水下进行潜水器回收作业,可以克服潜水器水面布放回收系统中存在的各种弊病,如滑擦、碰撞以及断缆等,而且这种方法适用于各种潜水器,且不受海况的限制。水下潜艇布放回收方式,如图5.1所示。

图5.1　水下潜艇布放回收方式

最早利用潜艇进行潜水器布放回收的是美国海军利用专门改装的核潜艇在水下对深潜救生艇进行布放回收作业。其基本的技术流程如下。

（1）拖航：在码头将深潜救生艇放置到潜艇的后部营救舱口上，然后以 15 kn 的潜航速度进行水下运输。

（2）布放：到达下潜作业点后，从母潜艇内将潜水器须与潜艇之间的连接松脱，使深潜救生艇进行作业。

（3）回收：深潜救生艇利用潜艇上的应答器找到潜艇所在位置回收。

（4）补给：当深潜救生艇与母潜艇的后部舱口对接上以后，便可在水下或在水面进行压载物及生命维持系统的补给、电池组的充电和其他服务性工作，还可进行小型的维修作业。

对光具有反射能力的涂料可以显示出辅助潜艇壳体上的障碍物，同时母潜艇上还有强照明灯设施的连接部位及装在个别标杆上的导向灯。深潜救生艇的外部摄像头对它与母潜艇的最后对准及系紧进行监视。

美国早期的载人潜水器"玳瑁"（HAWKSBILL）号就是利用潜艇进行水下回收作业的。

5.1.2　专用下潜平台布放回收

专用水下布放平台可以有效克服潜水器水面布放恶劣海况的影响，相较于潜艇而言，造价低，其主要不足是无法实现潜水器远距离转运。国际上有代表性的水下平台有 LRT 和 LARP。

LRT 是一个双体平台，可以下潜、在水下停悬以及上升出水，是 1969 年美国海军深潜系统工程项目部委托夏威夷的麦卡·兰奇公司（Makai Rang Inc.）研制而成的。LRT 成功地实现了载人潜水器"自游生物 α"和"星-2"号布放和回收。1970 年该公司又着手建造了布放回收平台（LARP），以便布放"麦卡卡爱"和"深观"号。

LARP 布放回收平台（图 5.2）与 LRT 双体平台相似。它们的区别在于采用的材料不同，以及 LARP 可以空运而且还具有可选用的遥控设施。

图 5.2　LARP 布放回收平台

LARP 平台为双体结构，由两个水密分舱的筒形玻璃钢壳体组成。壳体之间通过四根铝质管进行横向连接。铝质管上面铺有一块铝格板，并在格板的适当部位开有切口，作为安装操纵装置等用途。三块包有玻璃钢的尿烷橡胶块用来提供浮力及改善稳性，而且还可储存 12 只容量各为 200 ft³① 的压缩空气瓶。这些压缩空气用来排除壳体内的压载水。控制浮力用的遥控和手控阀设在平台的前部。这种平台现具有 10 t 提升能力,长 35 ft,宽 18 ft,高 7 ft,空气中质量为 8.5 t。

作业时,将潜水器安装在 LARP 下潜平台上一起拖运。到下潜现场后,潜水员打开进水阀门让下潜平台的主压载舱进水,然后再让可变压载仓进水,到 LARP 下平台下沉到 60~70 ft 水深处时,通过控制可变压载仓使下潜平台悬停。这时由潜水员将潜水器与下潜平台之间的固定设施松脱,从而使潜水器与平台相分离而浮出水面。回收潜水器则按相反的程序进行。

该种方式的主要优点是下潜平台具有极强的机动性,并且可以经济高效地部署,因为它不需要带有人工起重机或 A 型框架的大型船舶来发射和回收潜水器。这使得使用较小的本地可用商船在偏远地区工作成为可能,成本要低得多。

夏威夷海底研究实验室自 1980 年末以来一直使用类似的系统。OceanGate 公司与华盛顿大学应用物理实验室合作,联合开发出新的下潜作业平台,如图 5.3 所示,以消除对水肺潜水员的需求,并使平台模块化,使其具有移动性,而不是在固定的地理位置。

图 5.3　OceanGate 公司下潜平台

5.2　潜水器水面布放回收

5.2.1　双体船布放回收

美国"阿尔文"号早期的布放回收装置采用双体船布放回收方式。在"阿尔文"号下水过程中,其原母船"鲁鲁"号停泊于顶风位置,然后把"阿尔文"号布放到"鲁鲁"号母船两侧船体之间由绳索悬吊的支架上,直到潜水器自由起浮,然后再把支架放置在"阿尔文"的底鳍以下 8 ft 的位置。当"阿尔文"号要离开双体支持母船时,将每侧三条稳索(共六条)传到后面,潜水器上的潜水员把这些绳索抛开后,便开始做下潜前的检查。回收时,"阿尔文"号

---

① 1 ft³ ≈ 28.32 L。

先驶入双体辅助母船所围的水域内,然后按照与上述相反的程序进行回收,如图 5.4 所示。布放和回收潜水器的整个作业过程中,由站在潜水器指挥台上的操作人员进行指挥。"阿尔文"号与双体辅助母船每个侧壁之间只留有约 4.5 ft 的间隙,当遇到恶劣海况时,这样的间隙往往是容易引起事故的主要原因。

图 5.4　"阿尔文"号早期双体船布放回收方式

5.2.2　艉部敞口井布放回收

历史上,洛克希德公司的"深探"号采用艉部敞口井布放回收方式,其操作程序与"阿尔文"号相类似。在支持母船的艉部有一个长 62 ft、宽 25 ft 的敞口井,在井内设有一个用液压驱动的升降平台,该平台长 28 ft,宽 23 ft,具有 60 t 的起吊能力。潜水器两侧各系有两条牵引索,以防止潜水器与敞口井两侧或其前横隔壁发生碰撞。它与"阿尔文"号不同的是出入敞口井是借助于艏部的牵引索。敞口井的侧壁上设有橡胶防撞垫作为附加防护设施,敞口井的前端有一个张紧的网,使潜水器的艏部不会撞到敞口井的前横隔壁上。潜水器下水时,母船以低速向前航行,这样就使潜水器离开了敞口井;回收潜水器时,母船以 1~2 kn 的速度前进,并利用艏部的牵引索把潜水器拉入敞口井内。在辅助船上拉索人员和潜水器驾驶员的帮助下,潜水器便能方便地进入起吊支架所在的位置,此时,便可以将潜水器起吊出水。支持母船的左右舷设有四个压载仓,可以使吃水在 6.5~10 ft 变化以适应布放和回收作业的需要。艉部敞口井布放回收方式,如图 5.5 所示。

图 5.5　艉部敞口井布放回收方式

5.2.3 坞井布放回收

美国海军的"的里雅斯特-2"号是仅有一艘经常采用坞井方式进行布放回收的潜水器。这种布放回收系统原理很简单,但实际使用却很复杂。"的里雅斯特-2"号潜水器的支持母船"白沙"(WHITESANDS)号用进水的方法沉放到可使潜水器起浮的深度(母船的最大下沉深度为 25 ft),在这以前,潜水器上需系有 11 条限制缆绳,一条系在潜水器的艏部做牵引索用。潜水器退出"白沙"号时,潜水器每侧的四条牵引索被拉到后面,另外两条牵引索供两艘工作小艇将潜水器拖出坞井用。由于在布放和回收时,潜水器上的汽油是全部排空的,铁丸压载也全部抛弃,所有推进器都露出水面,所以潜水器就无法利用自己的动力出入坞井。按照通常的操作规程,如果海面的波长小于"白沙"号船长,潜水器就不能下水,一定要等到波长增大后或者海面平静后才能下水。"白沙"号自己没有推进动力,由 ATF-67 把它拖到作业地点。坞井升降装置,如图 5.6 所示。

图 5.6　坞井升降装置

5.2.4 滑道布放回收

国际水动力公司制造的"哈特逊·汉特拉"号支持母船,采用滑道系统进行潜水器布放回收,如图 5.7 所示。支持母船上有设置专用舱室,它可绕该舱室最前端的横轴转动,轴的安装位置位于辅助平台的中心处。专用舱是水密的、内部还划成一些分舱,当专用舱内充入压缩空气时,它的甲板正好位于水平位置,并且与平台的甲板面相齐平。当专用舱部分进水时,其艉部便沉入水中,并产生约 17°的倾角。在甲板上装有轨道并配有一辆拖车,载人潜水器"南鱼座-3"号的滑动垫与该拖车正好相配合。通过绞车收卷拖曳缆绳,可使拖车沿着轨道移动。当潜水器位于辅助平台上时,拖车便存放在平台的前部,并把它妥当地固定在位。当需要将潜水器放下水时,专用舱的滑道部分需要注入足够数量的水直到它艉部沉入水下约 10 ft 的深度。这时,拖车载着潜水器向后移动直到潜水器自由浮起在水面上。当回收潜水器时,用一根拖曳缆绳将潜水器拉入拖车内,然后将拖车拖到平台前部,这时再把专用舱滑道内的压载水排除,使它重新恢复到水平位置。

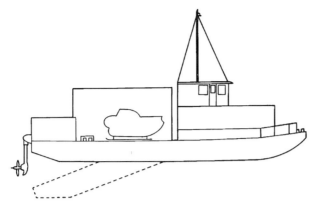

图 5.7　滑道布放回收方式

西屋公司的布拉德利(R. Bradley)和高尔(R. Gunl)提出了一种倾斜滑倒布放回收技术——把潜水器与一个沉入水下的倾斜平台相对接,这个倾斜平台随着水面上的潜水器一起在水中升降。一旦潜水器位于这个倾斜平台上,便由绞车拉到船上。在回收过程中,由于横摇、升降和潜水器的质量所产生的力逐渐传向母船,球形支座使母船和滑道不会一起摇晃。水力倾斜滑道首先是起缓冲器的作用,当潜水器拉出水面后,再起垂直支承面的作用。潜水器可以利用安装在其底部的滑板或滚轮沿滑道上移(需用潜水员装接引缆),也可安装在与潜水器相配合的专用活动平台上。实践证明,这种滑道系统可在波高达 3.5 m 的海况下进行过回收作业。升降装置原理图,如图 5.8 所示。

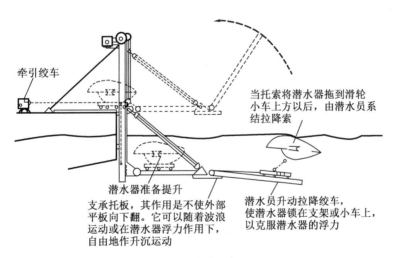

图 5.8　升降装置原理图

5.2.5　甲板布放回收

带有刚性支撑的吊机是海上起吊重物的一种最常用和最简单的方法。目前国际上具有代表性大深度载人潜水器,如"阿尔文"号、"深海 6500"号、"鹦鹉螺"号、"和平"号以及我国的系列载人深潜器,如"蛟龙"号、"勇士"号和"奋斗者"号均采用甲板布放回收。除"和平"号载人潜水器使用侧舷折臂吊外,以上国际主流载人深潜器均采用艉部 A 型架系统进行布放回收。

1. 无关节起重吊杆

早期的潜水器都是采用无关节起重吊杆式作业方式,它需要解决的主要问题是在起吊时产生的摆动以及挂钩和脱钩。"星-3"号所采用的无关节起重吊杆具有 12 t 起吊能力,在起吊过程中为了稳住潜水器,还有三台小型牵引绞车配合拼杆作业。当潜水器下到水中后,由潜水员松开稳索(四个固定点)和起吊索(四个固定点)。回收比布放更困难,因为当潜水员将绳索系到潜水器上时,潜水器总是处于横摇、纵摇之中,而且很容易打滑,特别当系起吊缆绳时要求潜水员保持警觉,否则会被晃动的沉重吊钩击中。因此,四台绞车的操作人员要与潜水员配合十分密切。有时,在中等海况下(不超过 3 级海况),准备起吊时摆动效应足以使吊钩绕吊杆缠绕起来,以致耽误了时间。对于这种起吊方式,潜水器驾驶员唯一能协助的是在确保安全前提下,尽量将潜水器驾驶到靠近支持母船位置上。

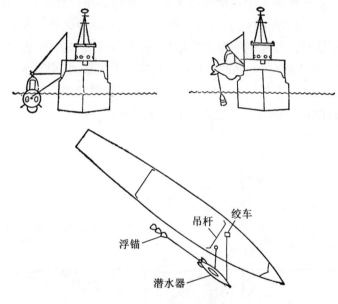

图 5.9　无关节起重吊杆

2. 折臂吊杆

"深星-4000"号系统所采用的是经改进的凯林(Koehring)折臂吊,起吊能力为 25 t,因为这种折臂吊的末端与潜水器靠得较近,所以摆动较小。当潜水器处于空中起吊位置时,除了有一名绞车操作人员外,还需要有两名控制稳索的人员。潜水器下到海中以后("深星-4000"号在水中呈负浮力状态),就把吊钩脱开,但此时潜水器仍需有一条绳索与支持母船相连,直到做完下潜前的全面检查以后,再由潜水员将这条绳索松开。回收潜水器时,先由潜水员将一条绳索送到位于水面的潜水器处,等到系好绳索以后,再将潜水器拉到与支持母船十分靠近的位置,然后挂上吊钩。将潜水器搁置到支持母船的支架上是通过支架上的空气垫实现的,空气垫一充气便托住了潜水器。在整个起吊过程中,潜水器驾驶员起的作用是被动的。

"约翰逊·海联"号潜水器所采用的起吊系统是上述系统的一种改进型,折臂吊杆的端部装有一只万向接头。它要求潜水员将潜水器的艏艉两条稳索固定在潜水器上并把一只专用吊钩插入其顶部的榫眼内。潜水器驾驶员的任务是将潜水器驾驶到支持母船艉部的一个合适位置上。在回收的整个过程中,支持母船以低速前进,由于起重吊车只需沿着支持母船的前后中心线伸缩,因此整个起吊工作可以迅速地顺利进行。但其他一些吊杆系统,潜水器所处的起吊位置要求吊车的吊臂在支持母船的横摇平面内摆动。

图 5.10　折臂吊回收方式

3.艉部 A 架布放回收

维克斯海洋公司用艉部 A 架布放回收系统将"南鱼座"系列潜水器在"维克斯航海者"号支持母船上布放和回收的。这个系统的工作过程如下:回收时,由潜水员将一根系绳拴到潜水器的艉部,利用它将潜水器拉到一根直径为 6 in 的起吊缆绳所及的范围内,然后潜水员将这根直径 6 in 的起吊缆绳固定在潜水器指挥台围壁后部的起吊眼板上,起吊缆绳通过框架顶部和悬垂臂架的导缆环,绕在一台专门研制的恒张力补偿绞车上。潜水器对着悬垂臂架拉紧,受摆动的影响比较小,而且可以把潜水器的艉部先拉到支持母船上。潜水器在水平面内的转动是通过系在左右舷的龙头缆来控制的(图 5.11)。

图 5.11　艉部 A 架布放回收方式

这种系统的最重要特点是有恒张力补偿绞车,保证起吊缆绳不会因为波浪的作用发生松弛或受到过大的载荷。

4.恒张力系统

恒张力系统由利比(Leiby)设计,它可以使潜水器和提升装置都不受到冲击载荷,同时还可控制潜水器的摆动。这种恒张力装置能够将作用在吊钩上的负载限制在额定负荷的1.5倍,它有一个限制潜水器运动的机构,只允许潜水器有垂向升沉,不允许水平摆动。潜水员将一根轻型的尼龙引索从母船挂到潜水器的钩子上,然后以该尼龙引索作为导向索在恒张力状态下将主起吊钩挂到潜水器上。当提升装置开始提升后,通过放出缆绳来维持恒张力,但如果潜水器的上升速度大于起吊速度,则为了保持起吊钢索内的恒张力,因此还可能要收紧起吊钢索。

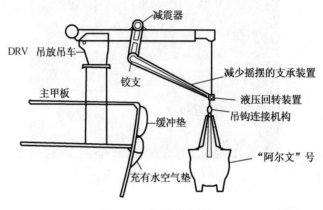

图 5.12　恒张力系统

对于任何布放回收系统来说,海况是一个主要的不利因素。西屋公司的弗·威立特通过下列计算充分说明了这一点。他假设波浪周期为5.4 s,波高为8 ft,波长为102 ft。对于这样短的波浪,会在支持母船的艉部和潜水器之间产生相对运动。当潜水器处于波峰位置时,支持母船的艉部可能陷入波谷;而当潜水器位于波谷时,支持母船的艉部却上升到波峰位置。由于潜水器和母船内部的这种周期性运动的相位差为90°,并假设:潜水器垂直运动的幅为8 ft,支持母船艉部垂直运动的幅度为10 ft(周期均为5.4 s),在这种情况下,两者之间的最大相对速度可达到8~9 ft/s。另外,当潜水器由回收系统吊离水面而处于空中位置时,支持母船的横摇、纵摇及升沉运动都会使潜水器产生难以预料的运动,对于潜水器的这种运动必须设法予以控制。

5.3　水面支持母船设计

5.3.1　支持母船基本要求

1.基本功能

我们之所以称为"潜水器系统",就是因为如果没有支持母船和布放回收装置,无论从实际使用上,经济效果上及安全操作上考虑,潜水器都无法完成任何形式的潜水作业。过去的载人潜水器母船有各种不同式样与特征,大多数是一些常规的水面船舶,但也有采用双体船、驳船、近海固定平台和军用潜艇作为辅助平台。

目前,在深海调查研究领域,大深度载人潜水器布放回收技术主要采用母船布放回收的方式进行潜水器布放回收作业。同时,随着海洋调查研究的深入和调查技术发展,深海调查活动需要除载人深潜以外的多种手段共同发挥作用。载人深潜科考航次已经不仅仅使用单一的载人潜水器进行下潜调查,常规的取样调查手段和载人深潜勘查联合作业是提高航次作业效率的不二选择。一般情况下,在海况较好时间窗内进行下潜作业,走航期间或海况较差的时段进行对船舶稳性要求不高的常规调查作业。因此载人潜水器的水面支持母船的设计在向多功能、综合性、现代化发展,现代载人潜水器支持母船,在某种意义上,与其说是载人潜水器支持母船,不如说是拥有载人深潜支持功能的海洋综合调查船。作为载人潜水器支持母船,它有以下基本功能:

(1)将潜水器运输到潜水地点(把潜水器放置在辅助平台上或直接在水中运);

(2)在潜水现场布放或回收;

(3)居住辅助人员及潜水作业组人员;

(4)携带维修设备并提供有遮蔽的作业场所;

(5)在潜水器潜航期间,与潜水器进行通信联络,并对它进行跟踪、导向;

(6)监视天气变化,当潜水器出水时,管理水面交通;

(7)对潜水器提供来往运输工具;

(8)携带科学考察及工程用的仪器,提供采样存放及资料整理的工作场所;

(9)在潜水器下潜前、潜水过程中或在潜水作业完成后,进行一些补充性研究或任务;

(10)应急情况下,作为避难的安全场所。

2. 布放回收系统设计

作为潜水器支持母船,潜水器布放回收是其必须具备的基本功能,因此,在母船设计中,潜水器布放回收系统设计是载人潜水器支持母船设计的核心。

由于潜水器的结构形式和作业能力不同,选择布放回收系统时要根据各种潜水器的具体情况而定。在选择布放回收系统时还应进一步考虑由于业主或使用者的作业方法不同而对系统提出的要求和限制。例如,对于自己拥有潜水器支持母船的业主或用户,他的布放回收系统可以永久性地安装在这艘辅助船上;而对于进行不同作业任务而要求使用不同辅助平台的业主或用户,则他们的布放回收系统必须考虑要能用飞机或大卡车进行运输,而且当把它们安装到不同支持母船上时应当十分简便,不要求支持母船的舷侧做任何改装。布放回收系统这种特点和使用方式排除了用包括一切的万用布放回收系统来解决上述问题的方案。

早在 20 世纪 70 年代,德舒克(Doerschuk)和厄斯里(Usry)等国际载人深潜先驱科学家对载人潜水器布放回收技术进行了综合系统研究,提出了深海载人潜水器一个布放回收系统应当考虑的一些因素,其中包括潜水器、辅助平台、工作人员和安全性如下:

(1)具有最大的安全性和可靠性;

(2)便于安装在各种支持母船和平台上;

(3)具有备用设备;

(4)能平稳可靠地实现控制;

（5）能在各种情况下使用,受相对运动的影响较小;

（6）操作人员不需要经过长时间的训练便可胜任操作;

（7）能适应多种潜水器使用;

（8）设计简单,部件标准化;

（9）成本合理;

（10）不必增加额外的工作人员;

（11）在回收过程中不要求潜水器做频繁的调度;

（12）不需要潜水员下水去固定起吊机构;

（13）占用甲板面积小;

（14）安装布放回收设备时不需要对平台或支持母船做任何改装;

（15）维护工作量少,所需设备少;

（16）对潜水器的设计不会产生不利影响。

同时,提出了设计和使用布放回收系统时必须满足的部分因素,见表5.1。时至今日仍然是载人潜水器不放回收系统设计的重要遵循。

表 5.1　选择布放回收系统时需要考虑的部分因素

安全性	对系统的合格要求
	对操作者的训练
	备用系统
	辅助母船和潜水员的能力
	建造规范
	操作场地
	辅助平台的性能
	试验和维护
	系统的可靠性
	对所发生故障的原因分析
	回收装置对辅助平台的影响
潜水器	尺寸
	质量
	结构外形
	吊起后的纵倾
	起吊连接位置
	特种连接装置
	潜水器在水中的性能

表 5.1(续)

能见度	
辅助平台	平台在海中的性能
	机动能力
	甲板面积
	干舷高度
	压载和稳性
	可供使用的电源
	结构外形
	操作人员的配备
	长、宽、吃水
	加班加强
工作人员	人员的分配
	系统的复杂性
	维护
	保险问题
	专门训练
	人的生命维持和舒适性

3. 现代支持母船技术特点

现代载人潜水器支持母船均兼顾海上科学考察使命,这些船装备有完备的导航定位系统与通信系统,设有功能齐全的实验室,配备有适用多种资源调查的探测系统、仪器设备及配套的工作车间、甲板起吊设备与作业空间。值得注意的是,新投入使用的调查船大都采用电力推进系统,以便更好地布置甲板和舱室。

这些船舶均配备功能强大的甲板起吊设备支持系统。主要特点是:

(1)大吨位布放能力的船艉 A 型架及绞车布放系统。如美国 Atlantis 调查船、日本 Yokosaka 调查船、法国 LAtalante 调查船。用于布放载人潜水器及 ROV。

(2)专用的载人潜水器库房。每艘载人潜水器支持母船均设有可避风雨挡阳光的载人潜水器库房,库房内设有载人潜水器维护检修的专用配套装备。

(3)具备探测调查能力。载人潜水器支持母船上均配备多波束、ADCP、CTD、浅剖等海洋环境探测装置,为潜水器作业提供保障,日本 Kairei 号上搭载了重力计、三组分磁力计、Porton 磁力计、活塞采样器和多道地震系统,具备了较强的调查能力。

(4)在载人潜水器支持母船上,为了实现配合作业和相互援救,除了大深度的载人潜水器外,船上一般均装载其他类型的潜水器,如美国 Atlantis 上搭载 Jason 6 000 米级 ROV、ABE 号 AUV 等,日本 Yokosuka 上搭载 UROV7K;法国 LAtalante 上搭载 Victor 6 000 米级 ROV;俄罗斯 Akademik Keldshk 上搭载两条 MIR 载人潜水器等;这些潜水器功能互补,可以充分发挥各自的优势来协调完成各种类型的作业任务。国际上载人潜水器支持母船参数见下表 5.2。

表 5.2 载人潜水器和支持母船参数比较表

性能	潜水器				
	Alvin	Nautile	SHINKAI 6500	MIR	蛟龙
所属国	美国	法国	日本	俄罗斯	中国
潜深/m	4 500	6 000	6 500	6 000	7 000
空气中质量/t	18.6	19.5	25	19.0	25
长度/m	7.1	8.0	9.5	7.0	8.3
宽度/m	2.6	2.7	2.7	2.7	3.0
高度/m	3.0	3.8	3.2	3.0	3.4
支持母船/吨位	3 500	3 500	4 400	5 500	4 550

从表 5.2 中可看出,除了俄罗斯的支持母船由于同时搭载 2 台载人潜水器而吨位偏大之外,其他三艘支持母船的平均吨位约 3 800 t。美国 Alvin 载人潜水器支持母船 Atlantis 在 1997 建设,具有较现代化载人潜水器配套装备。

为充分发挥载人潜水器的作业能力和确保其作业安全,需要在潜水器下潜作业前进行海底地形、洋流、底质、海洋水文等参数进行测量,了解载人潜水器的作业环境,要求母船具备对海洋环境进行探测的能力,需要搭载多波束系统进行地形测量,搭载 ADCP 进行环境洋流测量,搭载浅剖和海底浅层取样装置对海底底质进行采样和分析。在载人潜水器作业期间,支持母船要一直跟踪潜水器的航行轨迹,载人潜水器本身也需要定位,支持母船上要搭载远程超短基线声呐用于母船对潜水器进行跟踪定位,搭载长基线声呐用于载人潜水器精确定位。

5.3.2 国际深潜母船技术指标

1. 美国 Atlantis

美国 Alvin 深海载人潜水器支持母船为 Atlantis(图 5.13),船长 83.2 m,型宽 16.0 m,排水量为 3 566 t,自持力 60 天,续航力 17 280 n mile,巡航速度 12 kn,最大航速 15 kn,船上实验室包括:140 m² 的主实验室以及生物实验室、水文实验室、湿实验室、电力/计算机实验室和科考储备室,总面积大于 357 m²。可容纳船员 23 人,科考队员 24 名,技术员 13 名。阿尔文机库设置于主甲板的后部,机库内设有潜水器系固装置、维修工具以及潜器液压系统、蓄电池系统、主压载系统、生命支持系统充油补油、充氧、充气的装置,此外机库中还设有一个包括车床、铣床、钻床等在内的机械加工工作间。

2. 俄罗斯 Akademik Mstislav Keldysh

Akademik Mstislav Keldysh 是俄罗斯载人潜水器 MIR - Ⅰ、MIR - Ⅱ 的支持母船(图 5.14),总吨位 5 543 t,船长 122.2 m,是当今世界载人深潜器母船中最大的一艘,其 20 000 n mile 的续航力,可以搭载 129 名船员与科学家在海上以 12.5 kn 的速度航行 303 天。包括:水文学实验室、水化学实验室、物理海洋实验室、地质学/生物学实验室、生物化学实验室等在内的实验室总面积约 280 m²。

图 5.13 美国 Alvin 深海载人潜水器及其支持母船 Atlantis

图 5.14 俄罗斯 MIR 载人潜水器支持母船 Akademik Mstislav Keldysh

3. 法国 LAtalante

法国 1989 年建造的 LAtalante 是一艘综合调查船,同时也是 Nautile 深海载人潜水器的支持母船(图 5.15)。船长 84.6 m,排水量 3 559 t,定员 30~33 人,并且可以在 12 kn 下续航 60 天,最大航速 15.3 kn,根据其功能定义,共设有集装箱实验室、净实验室、超净实验室、电子测量实验室等 14 个科研实验室,总面积超过了 355 m²。

图 5.15　法国 Nautile 载人潜水器与其支持母船 LAtalante 号

4. 日本 Yokosuka

日本"SHINKAI 6500"号载人潜水器的支持母船 Yokosuka(图 5.16)建造于 1990 年,船长 105 m,型宽 16 m,型深 7.3 m,吃水 4.5 m,排水量 4 439 t,续航力 9 500 n mile,巡航速度 16 kn,由两台 2 206 kW 的柴油机提供动力,实验室包括干实验室、湿实验室、重力实验室、无线电实验室以及岩石采样处理实验室。长 9 m,宽 2 m,高 3 m 的机库用于存放和维护维修"SHINKAI 6500"号载人潜水器。

图 5.16　日本"SHINKAI 6500"号载人潜水器与其支持母船 Yokosuka

5. 中国深海一号

"深海一号"中国首艘载人潜水器支持母船(图 5.17)由中国船舶工业(集团)第 708 研究所设计、武昌船舶重工集团有限公司建造,为国际无限航区的大洋综合调查船,装备有一批先进的调查设备,具备对多种海洋资源及环境进行多学科多手段调查的能力。"深海一号"主要技术参数见表 5.3。

图 5.17　"深海一号"

表 5.3　"深海一号"主要技术参数

主要参数	总长/m	型宽/m	吃水/m	排水量/t	全速/kn	续航能力/(n mile)	定员/人
	90.2	16.8	5.80	实际 4 700	16	12 000	60
主辅推进系统	(1)吊舱全回转电力推进系统,主机功率 2×2 500 kW; (2)动力定位系统(DP1); (3)1 台 800 kW 艏部伸缩推进器; (4)4 台主发电柴油机 2×2 720 kW,2×800 kW						
通信导航系统	(1)差分 GPS; (2)卫通 F 站; (3)卫通 C 站; (4)VSAT 卫通互联网接入; (5)电罗经; (6)雷达; (7)电子海图系统; (8)北斗系统						
甲板收放机械	(1)1 部 30 t 艉部 A 架; (2)1 部 22 t,12.5m 主吊; (3)1 部 8 t,8 m 辅吊; (4)1 部静载 8 t、动载 10 t 侧舷综合布放 A 架; (5)1 台 8 000 m 和 5 000 m 电动光缆绞车; (6)1 台 10 000 m 和 6 000 m CTD 绞车; (7)1 台 10 000 m 地质纤维缆绞车						

表 5.3(续)

主要调查设备	(1)多波束测深系统(EM124); (2)浅地层剖面系统(P70); (3)38(150)kHz ADCP(RDI); (4)中浅水多波束系统(EM712); (5)万米单波束系统(EA640); (6)重力仪 MSG-6
主要实验室	(1)网络中心; (2)数据采集处理室; (3)重大装备作业监控中心; (4)微生物实验室; (5)生物化学实验室; (6)地质实验室; (7)低温实验室; (8)声学设备间
生活和公共设施	(1)住舱:46 间(均配备单元卫浴); (2)餐厅:2 间; (3)会议室:2 间; (4)洗衣房 2 间; (5)公共卫生间:6 个; (6)卫星电视接收和闭路电视系统; (7)公共网络服务系统等

"深海一号"船为钢质、双层甲板结构,船长 90.2 m,型宽 16.8 m,配有吊舱式全回转电力推进系统,续航力超过 12 000 n mile;配备有满足科学调查及数据处理所需要的多种类型、面积超过 300 m² 的实验室,可在世界大洋进行综合地质、地球物理等调查。新一代支持母船技术特点见表 5.4。

表 5.4　新一代支持母船技术特点

序号	名称	总体性能指标
1	船型	钢质、长首楼、双机、双桨、电力推进、带首部侧向(或回转)推进器、具有 DP-1 级动力定位能力,具有两层连续纵通甲板的单体专用载人潜水器支持母船
2	航区	无限航区
3	稳性及抗风力	抗风力不低于蒲氏风级 12 级风
4	抗冰加强	CCS:B3 级

表 5.4(续)

序号	名称	总体性能指标
5	耐波性	(1)4 级海况(4~5 级风)H1/3≤1.8 m 满足潜水器收放正常作业; (2)5 级海况(5~6 级风)H1/3≤3.2 m,满足潜水器应急回收作业要求; (3)7 级海况(8~9 级风),安全航行; (4)减摇装置:设可控式被动减摇水舱装置,降低晕船率
6	机动性	船的操纵灵活、航向稳定、低速时可原地回转;全速回转直径不大于 3 倍船长
7	自持力	≥50 天
8	航速	经济航速:12~14 kn 最大航速:16.0 kn 变速范围:在 0~最大航速无级变速
9	操控支撑系统	艉甲板主吊 SWL-25 t; 综合专用吊 SWL-12 t; 右舷辅吊 SWL-4 t; 尾 A 型架 SWL-30 t; 船首物料吊 SWL-0.5 t; 同轴缆绞车 1 套,工作水深 7 000 m; 地质绞车 1 套,缆长 10 000 m; ROV 绞车系统 1 套,缆长 10 000 m; CTD/水文绞车 1 套,缆长 10 000 m; 辅助绞车 2 套,各缆长 1 000 m; 声学系统 1 船套; 高精度导航定位系统 1 船套; 网络信息系统 1 船套; 走航数据采集与采样系统 1 船套; 海气探测装备 1 船套; 移动/搭载科学装备若干
10	潜水器与 ROV 机库	(1)载人潜水器机库,载人潜水器周边留有足够操作空间; (2)ROV 机库,ROV 周边留有足够操作空间
11	集装箱实验室	不少于 2 个标准 20 ft 集装箱
12	载员	62 人(船员 22 人,潜水器工作人员和科学家 38 人,备员 2 人)

第6章　载人潜水器运维信息管理技术

规范化的设备管理及其信息系统一直是计算机领域与管理领域交叉研究的热点。随着装备大型化、复杂化趋势的深入，装备维护、维修、大修(Maintenance，Repair，Operation and Overhaul，MRO)等一体化综合运维管理技术成为装备运行与管理的主流方向。通过信息化平台的支撑，可以最大限度地降低装备运行成本、提高维护效率、确保装备安全。载人潜水器运维信息管理技术是载人潜水器运维技术体系的重要组成部分。

6.1　运维信息管理系统基本功能

载人潜水器运维信息管理系统主要包含设备管理、运行作业、拆检总装、统计汇总、基础配置五大功能模块(图6.1)。各模块主要功能如下：

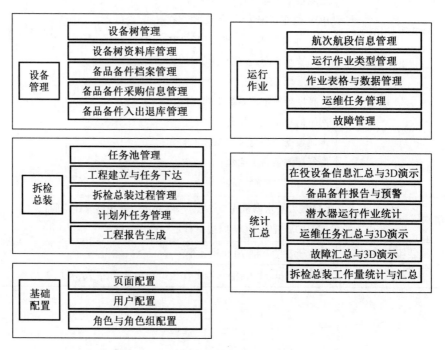

图6.1　运维信息管理系统总体功能模块

1. 设备管理模块，进行载人潜水器及其水面支持系统的全部设备、部件、备品备件的资料、档案、库存及使用进行从系统级到零件级的全寿命管理；

2. 运行作业模块，在载人潜水器下潜作业、海上航渡、港池演练和水池试验中，对载人

潜水器各设备与部件的检查、维护、维修及备品备件更换与管理进行电子化记录;

3.拆检总装模块,在载人潜水器应用航次之前(或之后),对载人潜水器进行分系统及部件分拆、检查、维护、维修与重新组装的全过程进行信息化管理与过程控制;

4.统计汇总模块,进行载人潜水器设备及备品备件、四类作业种类(下潜作业、海上航渡、水池试验、港池演练)、三类运维任务(检查、维护、维修)以及故障信息的多功能检索、汇总与显示。

5.基础配置模块,对整个系统的页面、用户、角色与角色组等进行配置,为系统提供基础框架与数据。

6.2　运维信息管理系统架构

运维信息管理系统采用客户端－服务器(Client－Server, CS)结构实现:在服务器(Server)端利用 SQL Server Management Studio 软件建立数据库,存储系统的全部数据资源,利用 Microsoft Visual Studio 软件开发客户端界面,并通过 HTTP 服务提供客户端(Client)界面的安装部署服务。客户(Client)端通过高速以太网络与服务器(Server)端连接,通过客户端界面对服务器(Server)端的数据库进行在线新增、修改、查询、删除、导出操作。

在软件架构方面,本系统采用数据存储层、应用服务层、客户端表示层的三层结构完成系统实现,如图 6.2 所示。

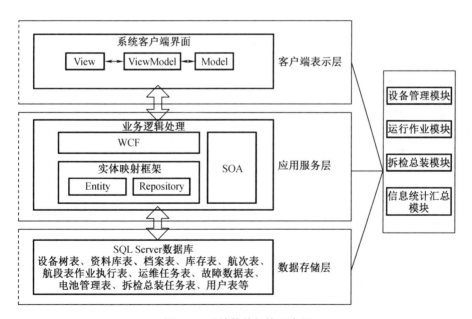

图6.2　系统软件架构示意图

(1)系统客户端采用 Visual Studio 软件编写,完成人机交互的界面功能;采用 NET WPF 的 MVVM(Model－View－ViewModel)设计模式进行系统设计和开发,通过 ViewModel 定义 UI 特定的接口和属性,并且由一个 ViewModel 的视图绑定属性,进而实现了将视图(View)和模型(Model)进行分离,充分利用 WPF 的数据绑定技术,实现了 View 和 Model 之间的低耦合效果,提高了 ViewModel 的可重用性,也有利于协同开发。在客户端表示层基于应用服务层中的实体封装模型,实现对载人潜水器设备、部件、备品备件的资料、档案、库存及使用,从系统级到零件级的全寿命管理。

(2)应用服务层主要用于实现业务逻辑,作为后台运行,为网络上的各客户端提供服务,是整个系统的核心。考虑系统的可靠性及可扩展性,系统的应用服务层基于实体映射框架、面向服务的架构(Service-Oriented Architecture, SOA)、WCF(Windows Communication Foundation)框架进行构建。在应用服务层,将其在数据存储层中的各数据库业务表对应的形成设备树实体、资料库实体、档案实体和库存实体,采用 WCF 封装设备维护服务、资料库维护服务、档案维护服务、库存维护服务形成面向服务的架构,并基于该架构为客户端提供松耦合服务。

(3)设备管理模块在数据存储层对应的数据库业务表包括设备树表、资料库表、档案表及库存表。数据存储层使用 SQL Server 数据库作为关系数据库,为上层应用提供稳定的数据支撑。关系数据库通过数据约束、外键关联等保障数据的完整性,通过索引等技术保障数据查询速度。数据库业务表针对系统的主要功能定义各类数据库表,实现系统各项信息的记录。

6.3　设　备　管　理

设备管理是载人潜水器运维的重要内容之一,开展全面系统的设备管理能够有效地提高载人潜水器维护保障作业效率,降低人员与资金使用成本,提高运维作业效率。

设备管理模块在数据存储层对应的数据库业务表包括设备树表、资料库表、档案表及库存表;在应用服务层,将其在数据存储层中的各数据库业务表对应的形成设备树实体、资料库实体、档案实体和库存实体,采用 WCF 封装设备维护服务、资料库维护服务、档案维护服务、库存维护服务形成 SOA 架构,并基于 SOA 架构为客户端提供松耦合服务;在客户端表示层基于应用服务层中的实体封装模型,实现对载人潜水器设备、部件、备品备件的资料、档案、库存及使用,从系统级到零件级的全寿命管理。

6.3.1　设备树管理

载人潜水器设备树是指根据载人潜水器各系统和部件的总分关系和隶属关系,形成的一种由设备或部件节点及其之间的层次关系所组成的树状逻辑结构。设备树为整个载人潜水器运维系统的建立与运行提供基础性框架。根据"蛟龙"号载人潜水器试验性应用经验,将载人潜水器及其水面支持系统可分为 2 个对象共 15 个分系统,每个分系统包括 2~5 层子节点,将每个子节点下开展维修维护作业的基本单元作为设备树的终端节点,则形成的设备树节点共计约 1 600 个(图 6.3)。

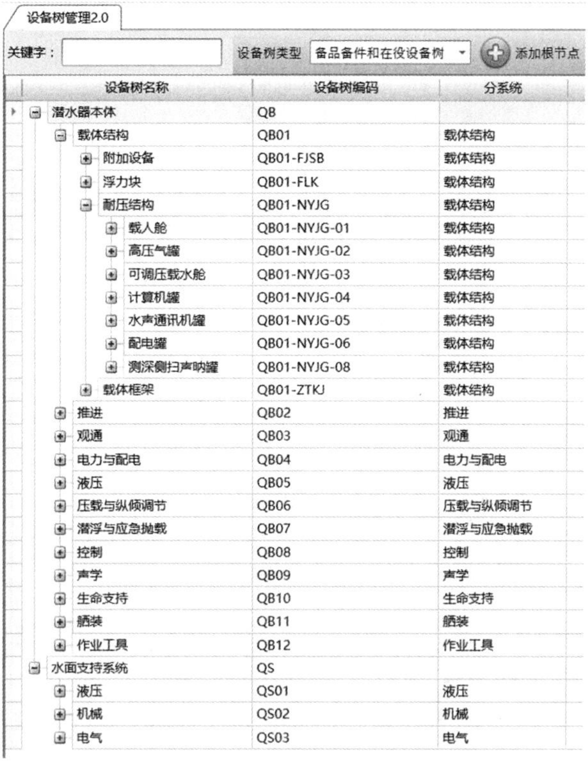

设备树名称	设备树编码	分系统
□ 潜水器本体	QB	
□ 载体结构	QB01	载体结构
⊞ 附加设备	QB01-FJSB	载体结构
⊞ 浮力块	QB01-FLK	载体结构
□ 耐压结构	QB01-NYJG	载体结构
⊞ 载人舱	QB01-NYJG-01	载体结构
⊞ 高压气罐	QB01-NYJG-02	载体结构
⊞ 可调压载水舱	QB01-NYJG-03	载体结构
⊞ 计算机罐	QB01-NYJG-04	载体结构
⊞ 水声通讯机罐	QB01-NYJG-05	载体结构
⊞ 配电罐	QB01-NYJG-06	载体结构
⊞ 测深侧扫声呐罐	QB01-NYJG-08	载体结构
⊞ 载体框架	QB01-ZTKJ	载体结构
⊞ 推进	QB02	推进
⊞ 观通	QB03	观通
⊞ 电力与配电	QB04	电力与配电
⊞ 液压	QB05	液压
⊞ 压载与纵倾调节	QB06	压载与纵倾调节
⊞ 潜浮与应急抛载	QB07	潜浮与应急抛载
⊞ 控制	QB08	控制
⊞ 声学	QB09	声学
⊞ 生命支持	QB10	生命支持
⊞ 舾装	QB11	舾装
⊞ 作业工具	QB12	作业工具
□ 水面支持系统	QS	
⊞ 液压	QS01	液压
⊞ 机械	QS02	机械
⊞ 电气	QS03	电气

图 6.3 载人潜水器设备树示意图

在建立设备树后,应对设备树上每个节点及其备品备件进行唯一的识别编码,以实现每个设备信息的建档、查询、读取、输出等。设备树编码的格式如图 6.4 所示,编码共分为三部分:

(1)设备树码段,与设备树层次关系相对应,根据工作习惯用字母和数字对其进行编码,用"-"来分隔设备树父节点和子节点;

(2)厂家型号码段,用于区分同一设备树节点下不同厂家、不同型号的设备;

(3)流水码段,若同一设备树节点下相同厂家型号的设备具有多个,此码段用来区分不同设备个体。

图 6.4 设备树编码示意图

6.3.2 设备树资料库管理

以载人潜水器设备树为基础,对其各分系统和各层节点建立相应的设备树资料库,对各设备或部件的:

(1)产品图纸；

(2)产品说明书；

(3)随机软件；

(4)操作与使用技术规程；

(5)检查/维护/维修技术规程等资料进行电子化存储与统一编码,并关联至设备树相应节点,实现载人潜水器各设备或部件相关资料的高效查询与利用。

6.3.3 备品备件管理

备品备件管理主要通过数据表对载人潜水器设备或部件备品备件的相关信息进行录入、存储、查询、汇总与导出,实现备品备件资料的高效传递与利用,主要包括以下功能及关键信息字段:

(1)档案信息管理,包括:名称、厂家、型号、配件、主要技术参数、生产厂家、安全库存量、厂家有效期、经验有效期、图片、注意事项;

(2)采购信息管理,包括:采购设备名称、对应设备树编码、采购时间、供应商名称、供应商联系方式、采购单价、采购数量、生产日期、采购合同;

(3)库存信息管理,包括:库位配置、库存量、入库时间、入库数量、出库时间、出库数量、出库原因;

(4)更换信息管理,包括:更换时间、更换数量、更换原因;

(5)报废信息管理,包括:报废时间、报废数量、报废原因。

6.4 运行作业管理

运行作业管理是指在载人潜水器水池(或港池)试验、海上航渡、下潜作业等阶段,载人潜水器能够作为一个整体系统完成特定功能或任务,在此期间对载人潜水器整体系统的使用以及对其各设备与部件运行状态的检查、维护、维修及其备品备件的更换与管理。

运行作业模块在数据存储层对应的数据库业务表包括下潜作业表、海上航渡表、港池演练表、水池试验表;在应用服务层,将各数据库业务表对应地形成下潜作业实体、海上航渡实体、港池演练实体和水池试验实体,采用 WCF 封装下潜作业服务、海上航渡服务、港池演练服务、水池试验服务形成 SOA 架构,并基于 SOA 架构为客户端提供松耦合服务;在客户端表示层基于应用服务层中的实体封装模型,实现对载人潜水器在下潜作业、海上航渡、港池演练和水池试验运行作业过程中各设备与部件的检查、维护、维修及备品备件更换与管理的电子化记录。

6.4.1 航次、航段信息管理

载人潜水器以某一航次的组织实施作为运行作业的大时间单元,每个航次按照任务、海区及工作量不同可分为若干航段,每个航段约 30~45 天,可开展 15~20 个潜次的下潜作业。本节以载人潜水器作业模式为基础,通过以下信息的有序统计整理,为更加详细的数据资料提供框架:①航次名称;②航次实际开始时间;③航次实际结束时间;④航段编号;⑤作业海区;⑥航段始发地;⑦航段结束地;⑧航段实际开始时间;⑨航段实际结束时间。

6.4.2　运行作业类型管理

载人潜水器在执行某一特定航次任务中,通常包括以下四类运行作业任务。

(1)水池试验:潜水器完成总装复原后,在其试验水池开展的功能复核、设备测试、人员培训等试验性或培训性下潜。

(2)港池演练:潜水器出航前,在潜水器基地港池内的母船上开展的全流程布放回收及下潜演练,旨在使潜航员、水面支撑队伍等全体人员熟悉各自岗位操作,加强磨合,尽快转入海上作业状态。

(3)海上航渡:潜水器跟随母船离港出发后,在海上航渡期间开展的外观检查、通电检查等测试作业,旨在了解和确保潜水器技术状态。

(4)下潜作业:潜水器在抵达作业海区后,根据航次设计和下潜作业计划开展的下潜作业任务。

载人潜水器运维系统规定了上述四种运行作业的类型,通过数据表记录潜水器所需记录的关键信息,并实现汇总。以最全面的下潜作业为例,该类型的关键信息字段如图 6.5 所示。

关键字名称	类型
总潜次	数字
航次潜次	数字
航段潜次	数字
作业海区	字符串
下潜类型	枚举
主驾驶	字符串
左舷人员	字符串
右舷人员	字符串
各就各位时间	时间
布放入水时间	时间
开始下潜时间	时间
抵达预定深度时间	时间
抛载返航时间	时间
抵达海面时间	时间
回收甲板时间	时间
最大深度	数字
水中时长(分钟)	数字
海底作业时长(分钟)	数字
起点经度(度)	数字
起点纬度(度)	数字

图 6.5　下潜作业的关键信息字段

6.4.3　作业表格与数据管理

在载人潜水器下潜作业、海上航渡、港池演练、水池试验的工作实践中，载人潜水器技术团队的各专业系统和操作部门都形成了记录本系统检查与操作状态的规范化表格，载人潜水器运维信息管理系统以这些表格为基础，形成了一整套表格列表模板，通过统一的纸质表格扫描与电子文件自动匹配实现作业现场第一手资料的便捷存档。在此基础上，通过人工整理进一步提取各表格中具有关键意义的信息字段或数据，实现对潜水器技术团队检查与操作信息的全面数字化记录。图6.6为下潜作业的作业表格列表及其关键信息字段示例。

图6.6　下潜作业的作业表格列表及其关键信息字段示例

载人潜水器控制系统在潜水器运行过程中也对潜水器各系统及传感器的数据进行全过程记录，形成了数据包，该运维系统也可实现对该数据包的上传和读取，完整地掌握潜水器整个运行过程的技术状态，为后续进行潜水器下潜深度统计、下潜时长统计、电池电量统计、故障报警统计等数据分析及汇总打下基础。

6.4.4　运维任务管理

载人潜水器运维系统将载人潜水器运行与保障任务分为检查任务、维护任务、维修任务三类，考虑到三者在信息管理上的相似性，该系统进行统筹考虑，通过运维任务记录单实现相关信息的输入、汇总与输出等管理。

（1）检查任务

检查任务是根据设备操作规程开展的有计划的测试性活动，旨在对系统功能或性能状态进行了解。检查记录单的关键信息字段包括：

①检查任务名称；

②检查对象；

③开始时间；

④结束时间；

⑤检查地点；

⑥检查背景与环境；

⑦检查原因；

⑧检查步骤与工艺；

⑨检查结果；

⑩总结与注意事项；

⑪记录人；

⑫参与人；

⑬图片记录；

⑭视频记录；

⑮音频记录；

⑯备注。

（2）维护任务

维护任务是设备或部件在未出现异常情况下，根据设备操作规程开展的有计划的操作性活动，旨在维持系统原有功能或性能。维护记录单的关键信息字段包括：

①维护任务名称；

②维护对象；

③开始时间；

④结束时间；

⑤维护地点；

⑥维护背景与环境；

⑦维护原因；

⑧维护步骤与工艺；

⑨维护结果；

⑩总结与注意事项；

⑪是否发生备件更换；

⑫记录人；

⑬参与人；

⑭维护前图片记录；

⑮维护后图片记录；

⑯视频记录；

⑰音频记录；

⑱备注。

维护任务管理界面如图 6.7 所示。

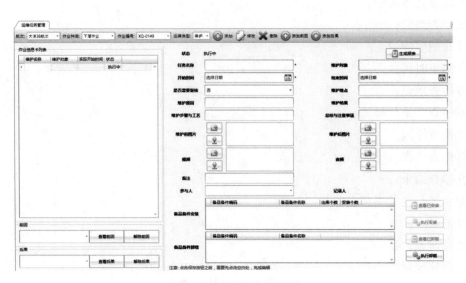

图 6.7　维护任务管理界面

（3）维修任务

维修任务是设备或部件出现异常情况之后，针对该异常进行的尝试恢复其原有功能或性能的操作性活动。维修记录单的关键信息字段包括：

①维修任务名称；

②维修对象；

③开始时间；

④结束时间；

⑤维修地点；

⑥维修背景与环境；

⑦维修原因；

⑧维修步骤与工艺；

⑨维修结果；

⑩总结与注意事项；

⑪是否发生备件更换；

⑫记录人；

⑬参与人；

⑭维修前图片记录；

⑮维修后图片记录；

⑯视频记录；

⑰音频记录；

⑱备注。

由于在实际作业中,上述三类任务相互之间可能存在因果联系,载人潜水器运维系统可通过链接实现所有任务之间的因果关联,便于以后的技术分析与信息检索。

6.4.5　故障管理

故障管理也是载人潜水器运行与保障应用中极为重要的一个内容,是载人潜水器应用中技术知识积累与经验传承的重要环节。考虑到故障管理与检查、维护、维修在信息管理机制上的相似性,故障管理也采用记录单方式实现,并与检查、维护、维修记录单之间进行因果关联,实现信息链的有机结合。

故障记录单的关键信息字段包括：

①故障名称；

②故障时间；

③故障地点；

④故障设备或部件；

⑤故障背景与环境；

⑥作业编号；

⑦故障现象描述；

⑧现场采取措施；

⑨故障原因；

⑩故障处理与维修；

⑪记录人；

⑫参与人；

⑬故障数据；

⑭图片记录；

⑮视频记录；

⑯音频记录；

⑰备注。

6.5　拆检总装管理

载人潜水器在每次出航前会进行不同程度的分拆与检查,对其载人舱、结构框架、浮力材料、耐压罐、缆线等关键部件进行检查与测试,确保其技术状态良好,同时对上一航次中出现技术故障或技术隐患的部件进行测试与维修。在完成拆检作业后,将潜水器总装复原,为水池试验及出航做好准备。拆检总装是一个需要总体规划和多单位、多系统协调的大型工程,载人潜水器运维系统的拆检总装管理模块旨在通过信息化手段完成拆检总装工程的任务设计、时间规划、过程控制、运维任务记录、报告生成等工作。

拆检总装模块在数据存储层对应的数据库业务表包括拆检总装表、分拆表、检查表、维护表、维修表、重新组装表;在应用服务层,将各数据库业务表对应地形成拆检总装实体、分拆实体、检查实体、维护实体、维修实体、重新组装实体,采用 WCF 封装拆检总装服务、分拆服务、检查服务、维护服务、维修服务等,形成 SOA 架构,为客户端提供松耦合服务;在客户端表示层基于应用服务层中的实体封装模型,实现对载人潜水器应用航次前后进行分系统及部件分拆、检查、维护、维修与重新组装全过程的信息化管理与流程控制。

6.5.1　任务池管理

载人潜水器历次拆检总装工程的工作任务有很大相似性,为此采用"任务池"这一概念涵盖拆检总装中涉及的全部任务。拆检总装工程任务池包括了载人潜水器各分系统历次拆检大修中涉及的全部任务的:①分系统;②任务名称;③作业对象及其设备树编码;④预计所需时长等要素。任务池是作为建立某个特定拆检总装任务的基础数据库。

载人潜水器技术总负责人通过工作日历管理功能对任务列表中任务之间可能存在的先后顺序错误、时间冲突及时间长度不准确等进行调整,完成每项任务的时间节点确认。在工作日历管理中,自动列出了该拆检总装工程所含的全部工作日及休息日,便于载人潜水器技术总负责人确定任务列表中全部任务的作业时间区间,也便于统计工时。当确定全部任务的时间节点后,即可完成任务下达。

6.5.2　工程建立与任务下达

当拆检总装任务下达后,载人潜水器技术总负责人在运维系统中建立一个新的拆检总装工程,所涉及的关键信息字段包括(1)航次名称、(2)拆检总装工程名称、(3)计划开始时间、(4)计划结束时间。在工程建立后,载人潜水器各分系统负责人从各分系统的任务池中选择与添加本次拆检总装所计划开展的任务,加入任务列表,添加时应注明每个任务预计从该拆检总装工程的总第几天开始,系统将根据任务池的预计时长自动确定每个任务的时间区间。

6.5.3　拆检总装过程管理

任务下达后,系统可自动生成本次拆检总装工程的计划甘特图,为各分系统实际作业的时间控制和过程控制提供参考。在各项任务实际执行过程中,该系统将计划情况和实际执行情况用两条不同的进度条进行对比显示,同时在实际执行进度条中显示×××等信息,实现整个拆检总装过程的图形化显示与管理。每项任务在执行完毕后,相关的分系统负责人均须填写检查/维护/维修运维任务记录单,实现对整个过程的全面记录。同时,在拆检总装过程中也应对发现的故障情况进行记录,填写故障记录单。

此外,当有计划外的任务需求时,也可在拆检总装工程中随时添加计划外任务,并填写相应的检查/维护/维修运维任务记录单,额外添加的任务也一并显示在实际执行的甘特图进度条中统一管理。

6.5.4　工程报告生成

在完成阶段性任务后,系统将各分系统的阶段性技术报告进行上传与归档,当完成整个拆检总装的全部任务后,自动生成本次工程的完工报告。

完工报告的内容包括:

①航次名称与拆检总装工程名称;

②本次工程的任务列表;

③各任务(包括计划内和计划外)的计划甘特图和实际甘特图;

④按照分系统和时间先后汇总的检查/维护/维修运维任务记录单及故障记录单;

⑤按照分系统汇总的阶段性技术报告;

⑥本次拆检总装工程的总体技术结论报告。

6.6　信息统计汇总

前文所述的设备管理、运行作业、拆检总装三部分模块均以载人潜水器运行与保障过程中的信息"输入"为设计目标,为整个载人潜水器运维数据库提供信息来源和数据支撑,而信息统计汇总模块旨在立足运维数据库全局,对载人潜水器的重要运维信息进行汇总和"输出"。

统计汇总模块在数据存储层对应的数据库业务表包括设备及备品备件表、作业种类表、运维任务表及故障数据表;在应用服务层,将各数据库业务表对应的形成实体,并结合WCF服务,再次封装构建统计查询服务;在客户端表示层,采用应用服务层构建的查询服务,形成数据集,并采用表格报表和数据图表相结合的方式进行数据查询结果的展示,实现载人潜水器设备及备品备件、作业种类、运维任务及故障数据的多功能检索与查询。

1. 载人潜水器数字化三维模型

利用 Solidworks 软件建立载人潜水器数字化三维模型,实现载人潜水器全系统的直观展示。

2. 在役设备信息汇总与三维模型演示

根据设备树数据库汇总载人潜水器的在役设备清单,并通过列表显示当前各在役设备的档案、使用年限、寿命期查询、维护历史、维修历史及故障情况。该列表的部件也可投射至载人潜水器数字化三维模型进行直观演示。

3. 备品备件报告与预警

自动生成备品备件库存报告,对各个备品备件的使用年限、存放年限与寿命期进行统计,对即将到寿命期的备品备件进行预警提醒,对到达库存数量下限警戒值的备品备件进行预警提醒,确保各系统各部件的备品备件库存完整。

4. 潜水器运行作业统计

按照航次、航段、作业海区、下潜人员等关键字段进行下潜作业、海上航渡、港池演练、水池试验等运行作业的数据进行查询与汇总,生成统计报表。

5. 检查/维修/维护/故障汇总与三维演示

对全部检查/维修/维护任务记录卡和故障记录卡按照分系统/设备树节点名称/设备树编码/航次/记录时间/关键字/记录人/等关键字段进行查询、汇总、分类与导出,绘制各分系统或特定设备部件的运维任务统计表和故障统计表,并将设备部件的历史运维情况和故障情况在载人潜水器数字化三维模型上进行显示,如图 6.8 所示。

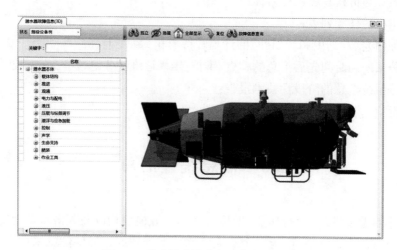

图 6.8 载人潜水器在役设备三维模型

6. 拆检总装工作量统计与汇总

对历次拆检总装工程的数据资料进行统一检索查询与汇总,对任务池中的各类任务进行实际作业时长统计,针对某一拆检总装工程统计各分系统、技术人员的工作量。

7. 基础配置

基础配置部分可对该系统的页面名称、导航目录的层次关系及显示顺序进行统一调整。同时,此部分也包含对该系统每个用户的用户名、密码、提醒 E-mail 地址等的管理功能;每个用户名可分配若干"角色",每个"角色"规定了一种对系统不同页面和分系统数据的访问与修改权限;将各种"角色"组成不同的"角色组",通过定义不同的"角色组"权限实现某个特定用户名的复杂权限交叉。

第7章 载人潜水器潜航员培养

愈大型的潜水器,对潜水器维护人员的要求就愈多,专业分工也就愈细。大多数情况下,当潜水器布放回收时,支持母船上船员也要帮一手,但他们不能被认为是潜水器上的艇员。"阿尔文"号在一定程度上可以代表那些具有中等复杂性的潜水器,它的岸上辅助人员有:一名质量控制工程师、主绘图员、绘图员、秘书、仪表工程师、机械工程师、机械技师和结构工程师。

潜水器的操作者或驾驶员和辅助人员的经历各不相同,大多数潜水器驾驶员都是美国海军退役的,他们具有操纵潜艇的经验,但这并不是选择驾驶员的条件,例如"深星-4000"潜水器的四名驾驶员,只有一名是潜艇退役艇员,其余三名中,一名是原海军航空兵飞行员,一名是绘图员(但他具有使用自持式呼吸器的丰富经验),还有一名是民用潜水员和摄影师,相反"深探"号潜水器的驾驶员及其艇员几乎都来自美国海军。

上述的所有潜水器辅助人员有一共同点,那就是他们具有多方面的技能,因为在许多情况下,可能会要求工程师或驾驶员做各种工作。

7.1 潜航员选拔

以美国 Alvin 载人潜水器现役及优秀退役潜航员(图 7.1)的个人情况为例,简要介绍潜航员岗位要求研究。

图 7.1 美国 Alivin 载人潜水器现役及优秀退役潜航员

7.1.1　思想与职业兴趣

美国伍兹霍尔海洋研究所（Woods Hole Oceanographic Institution，WHOI）具有近50年的载人潜水器管理运行经验，在其对 Alvin 载人潜水器潜航员选拔的要求中明确表示，具备"成熟、自信、正直、积极、真诚"的品质是非常重要的方面。此外，"候选者应该具有奉献精神和强烈的热情，对事业具有发自心底的兴趣，自负和计较个人得失的候选者将不会坚持太久。"表7.1 以 Alvin 载人潜水器潜航员为例，列出了部分在役与退役潜航员的相关经历与个性特点。

表 7.1　部分 Alvin 载人潜水器潜航员相关经历与个性特点描述

部分 Alvin 载人潜水器潜航员相关经历与个性特点描述	喜欢教书，更喜欢修理东西
	年轻时立志从事近海工程工作
	不喜欢办公室职业束缚，做过潜水教练和平面设计师
	喜欢"与众不同并富有挑战性"的工作
	16 岁以来在外游历，经历丰富
	"六岁起我就知道我的生活和工作将在海上"
	幼年时喜欢拆装自己的玩具，喜欢去夏威夷浮潜和潜水

由表7.1 可以看出，热衷于工程技术活动、富有冒险精神、对海洋工作具有发自内心的归属感和热爱是美国潜航员群体的鲜明特征。

潜航员是一项涉及国家利益的重要岗位，是具备艰苦奋斗、踏实肯干、成熟沉着、承担风险、开放合作、严守秘密等良好的思想素质，对海洋事业和载人深潜事业怀有源自内心的热爱，能在工作中形成强烈的价值归属感并以此为乐趣的人才能胜任的工作。

7.1.2　专业基础和综合技能

载人潜水器是综合船舶、机械、控制、电气、水声通信等多学科的高技术海洋装备，作为载人潜水器的操作者，潜航员应在上述领域具备全面而扎实的专业知识和技能。

（1）作为长期在海上作业的人员，潜航员应熟悉海洋、船舶、导航、地理等相关知识，了解海上环境并能够运用相关知识做出判断和决策。

（2）载人潜水器设计研发涉及了船舶设计、机械结构与液压、动力与推进器等相关专业的理论与方法，潜航员只有对该专业具有深入的理解和认识，才能够对载人潜水器的原理、组成和运行方式了然于心，并在实践中运用自如。

（3）载人潜水器具有先进的信号传输与处理、自动控制、水声通信技术，潜航员只有具备相关的电子电气类专业知识，才能掌握相关的潜水器设备监控、操作与维护技能。

（4）载人潜水器以人为核心，潜航员应掌握与人相关的生命支持、医学与急救等知识；

另外,作为特殊环境下的水下工作人员,潜航员还应具备游泳、轻装潜水等技能。

（5）在海上航渡与执行下潜任务的各个环节中,潜航员需要与管理人员、工程技术人员、科学家、媒体记者、船员等各类人群进行沟通和交流,因此相关的文科知识也十分必要。

美国在潜航员选拔过程中,具备下列经验和背景的候选者可优先考虑：

①海上工作经验；

②良好的基础教育及电气、物理、机械、液压、电子或其他相关工程技术领域的学科背景；

③海军经历；

④飞机舰船驾驶操纵经验。

同时,选拔要求中也明确提出,潜航员应具有较强的学习能力。在美国在役和退役的23名潜航员中,具有电子与机械等工程专业技术背景的有20名,其他3名也均从事涉海相关行业,表7.2列举了WHOI中部分Alvin载人潜水器潜航员的专业经历与技术背景。

表7.2　部分Alvin载人潜水器潜航员专业经历与技术背景

部分Alvin载人潜水器潜航员专业经历与技术背景	在近海石油公司从事潜水、潜水器及ROV系统的工作长达十年
	从事10多年国际海洋工程的商业潜水员工作
	受任职于WHOI的母亲的影响,从高中起在WHOI实验室协助进行整理泥土样品、建造水下机器人、给Alvin载人潜水器布线等工作
	曾在美国海军服役,在舰艇上操作雷达监控导弹防御
	在美国海军的潜艇服务中心工作长达15年
	在两个工程公司工作了7年

为了解潜航员所需专业技能,在"蛟龙"号海试和试验性应用期间对向阳红09船上29名与潜航员接触最密切的管理人员、工程技术人员进行了潜航员岗位描述调查,调查对象涉及中国大洋矿产资源研究开发协会办公室、中国船舶重工集团公司第七〇二研究所、中国科学院沈阳自动化研究所、中国科学院声学研究所、国家海洋局北海分局、国家深海基地管理中心、北京长城电子装备有限责任公司等单位,基本涵盖了我国载人深潜工程的一线专家队伍。调查以《中华人民共和国职业分类大典》相关调查项目为基础,涉及3个大项119个小项,对潜航员岗位的能力、知识、技能等方面进行了全面了解。表7.3为被调查者对潜航员岗位所需的各方面知识的重要性程度进行分数评定后,通过归一化处理得到的量化得分情况(满分为1)。

表7.3　潜航员岗位所需相关知识调查结果(满分为1)

机械知识	0.716	文书知识	0.448
计算机与电子知识	0.647	生产与过程知识	0.448
工程技术知识	0.638	化学知识	0.440
设计知识	0.621	生物知识	0.440

表 7.3(续)

物理知识	0.621	通信与媒体知识	0.379
外语知识	0.612	法律与政府知识	0.371
数学知识	0.603	教育与培训知识	0.362
心理学知识	0.586	管理知识	0.345
地理知识	0.466	汉语知识	0.336

表 7.3 中可以看出,潜航员的知识结构应以机械、计算机与电子、工程技术等工科为主,兼具数、理、化、生等理科知识和心理学、地理学等文科知识,并了解如何同管理人员、工程技术人员、科学研究人员以及媒体等各类人群进行沟通和信息传递。

潜航员面对的绝大多数是工程技术问题,要求其具备很强的逻辑思考与数理计算能力,能够客观、理性、科学地对问题进行整合分析,得出最优化解决方案。

面对海底复杂的环境,潜航员需要综合考虑潜次任务安排、水面指挥及现场实际情况等多种因素,全面、科学地对水下作业过程进行决策,因此潜航员应具备很强的运筹与管理能力,能够科学地利用有限的资源解决各种复杂问题,圆满完成潜次任务。

潜航员职业是一个富有挑战的职业,在潜航员的职业生涯中会不断遇到新问题,面对新挑战,这要求其具备很强的学习能力,能够在每次下潜作业中及时总结经验,形成认识,并对未来的作业提供经验和方法指导。

另外,潜航员岗位要求其具备良好的理解和表达能力,既能够通过交谈和阅读快速掌握各种外界信息,为每次下潜做好充分准备,又能够将下潜中的所见所感准确地表达和描述出来,使其他各类人群了解所需信息,掌握下潜情况。表 7.4 所示为"蛟龙"号载人潜水器 7 000 米级海试和试验性应用期间对向阳红 09 船上载人深潜团队进行的潜航员岗位所需能力和技能调查结果,同前所述,调查采用量化得分评定办法,满分为 1。

表 7.4　潜航员岗位所需能力和技能调查结果(满分为 1)

设备保养检修	0.879	语言清晰度	0.603
故障排除	0.862	编程	0.595
操控	0.853	记忆能力	0.586
操作检查	0.845	数学运算	0.569
设备选择	0.828	质量检测分析	0.552
安装	0.819	指导	0.543
复杂问题解决	0.802	归纳推理能力	0.543
口头理解能力	0.767	连贯的构思能力	0.534
书面表达能力	0.767	系统评估	0.526
科学思维	0.767	积极倾听	0.517
维修	0.767	写作	0.517

表 7.4(续)

书面理解能力	0.733	运用数学运算的能力	0.517
技术设计	0.733	系统分析	0.483
口头表达能力	0.707	数理推理能力	0.466
阅读理解	0.698	学习策略	0.457
演绎推理能力	0.655	服务倾向	0.457
时间管理	0.629	作业分析	0.457
口语	0.621	判断和做出决定	0.457
主动学习	0.621	物资管理	0.457
创新能力	0.612	信息的排序能力	0.405

表 7.4 中可以看出,潜航员岗位要求中,首先最突出的是其工程技术维修维护与设备操作能力,此类任务是潜航员岗位工作的核心。其次是潜航员应具有较强的表达和理解能力,既能够很好地与人进行面对面交流,又能够进行快速阅读和恰当的文字表达。此外,较强的演绎、归纳、数理等推理能力以及逻辑思维能力、综合运筹和管理能力也是潜航员岗位的必备素质。

7.1.3　心理和身体素质

潜航员的心理素质和身体机能对潜水器的安全高效运行至关重要。在海面,潜航员在高温、高湿、狭小的载人潜水器载人舱内忍受涌浪造成的剧烈颠簸晃动;在海底,潜航员长时间身处热传导快、封闭的舱内,面对黑暗、未知的深海环境开展考察活动,这些都成为潜航员生理与心理消耗的主要因素。与航天员相比,潜航员无须经受超重、失重的考验,无须面对太空极端环境,在身体机能要求上不如航天员严格;但潜航员长期在海上工作,需要长时间在深海环境中自主地操作潜水器开展航行与坐底、精细测量与采样、高清摄像照相等一系列作业活动,因此,潜航员的心理素质和身体机能也需要达到很高的水平。

潜航员特殊的工作环境要求其具备很强的心理适应性、心理稳定性和压力耐受性和很高的心理健康水平;同时,潜航员也应具备较强的判断决策能力、应急反应能力、肢体协调能力和自我调节能力。美国 WHOI 对载人潜水器潜航员候选者的心理筛选通常在实际选拔前就已开展。在入选后,候选者还将接受进一步观察,以便确保其情绪稳定、心智成熟,并丝毫没有幽闭恐惧症倾向和可疑症状,在精细或紧急情况下能够冷静、理性并做出正确决策。在日常操作中,潜航员也会面对一些人为设置的危机压力,来测试其在紧急情况下的处理方法。我国在第一批载人潜水器潜航员的选拔中对候选者使用了多种应用广泛且经过实践检验的专业性心理问卷以及访谈与面试测试,实践证明,通过心理测试的两位潜航员,其各项心理机能均优于常模。潜航员的工作实践也证实,心理测试对于潜航员选拔具有重要意义。

在载人潜水器潜航员选拔中,对候选者身体机能的医学检查需涉及外科、内科、耳鼻喉科、神经科等多个科室,对其呼吸系统、神经系统、循环系统、消化系统等各个系统进行全面检查评定。在我国第一批潜航员选拔中,医学检查与生理测试在候选者筛查过程中发挥了重要作用。美国 WHOI 明确要求其潜航员学员须满足下列生理要求:

表 7.5　美国 WHOI 潜航员选拔中的生理要求

美国 WHOI 潜航员选拔中的生理要求	无接触性传染病
	无呼吸道疾病,无器质性心脏病及高血压/低血压
	无严重的背部疾病、关节炎、静脉曲张、肌肉抽筋等病史,在长时间寒冷狭窄的条件下工作不会导致发病
	无营养不良或过敏体质历史
	无癫痫病记录,无神经系统疾病
	无糖尿病,无复发性消化性溃疡
	具有潜艇训练钟或类似设施的训练和压力测试经验者优先考虑
	能够承受至少两个大气压而无不良反应

除通过医学检查确保生理健康外,潜航员岗位还对某些特定的身体机能有更高的要求。表 7.6 所示为本书研究人员对向阳红 09 船上载人深潜团队进行的潜航员岗位身体机能需求调查结果,可以看出,潜航员岗位的海底作业特点决定了其对快速反应能力、定位能力和感知能力的要求最高,良好的肢体协调能力、精细操作能力也非常重要。

表 7.6　潜航员岗位身体机能需求调查权重结果(满分为 1)

快速反应能力	0.802	外围视觉感知能力	0.457
反应定位能力	0.776	深度感知能力	0.448
感知问题的能力	0.741	肢体移动速度	0.440
选择性注意能力	0.741	手腕-手指的使用速度	0.431
速率控制能力	0.621	远距离视觉感知能力	0.422
手的灵活性	0.603	全身协调能力	0.405
四肢协调能力	0.603	全身平衡能力	0.397
听觉敏感能力	0.595	夜视能力	0.388
精细控制能力	0.560	动力	0.345
手臂稳定性	0.534	柔韧性	0.302
听觉专注能力	0.534	眩光敏感性	0.293
手指灵活性	0.517	静力	0.276
语音识别能力	0.509	爆发力	0.276
近距离视觉感知能力	0.483	伸展性	0.250
颜色识别能力	0.474	躯干发力能力	0.241
声音定位能力	0.466	持久力	0.190

潜航员选拔,是指从特定人群中挑选出能够满足深潜作业要求的潜水器操控人员或任务小组,主要指潜航员学员的选拔。潜航员选拔的目的可以归纳为挑选那些有望在规定期限内经过严格的训练而成为能够下潜执行任务的潜航员候选人进入潜航员队伍,从而为潜航员训练打下良好的基础。

按照本节研究的潜航员基本要求,形成了以下12个维度的选拔项目和内容。

(1)一般条件选拔项目与内容

①国籍、民族、性别、年龄、人体测量参数(身高、体重、BMI值等)、外貌;

②文化程度、专业背景、职业、工作经历、外语水平;

③生活习惯;

④政治倾向及选拔动机;

⑤其他。

(2)职业能力与特质选拔

①基本职业能力;

②高级职业能力;

③潜航员职业能力;

④人格特质评价;

⑤结构化面试评价。

(3)专业基础能力

①专业基础能力;

②学习能力。

(4)体能体质选拔

①力量(男性引体向上、女性仰卧起坐);

②灵活性(立定跳远);

③耐力(男性1 000 m长跑、女性800 m跑);

④爆发力(4×10 m折返跑)。

(5)心理学选拔

①心理能力(感知能力、记忆能力、思维能力、注意力、操作能力等综合智力);

②个性心理(心理会谈、心理调查);

③心理品质(MMPI、PMS、EPQ)。

(6)医学选拔

(7)临床医学检查

①临床各科检查(眼科、内科、外科、神经科、耳鼻喉科、口腔科);

②实验室检查(血常规、尿常规、便常规、血生化、内分泌等);

③影像学等特殊检查(X线检查、超声检查、心电图检查等)。

(8)医学复核检查

①心血管功能检查(运动平板检查);

②影像学等特殊检查(前列腺B超、心脏彩超、CR正位、钡餐等);

③实验室检查(HIV、性病、梅毒检查);

④前庭功能检查;

⑤家族医学病史调查。

(9)综合能力选拔

非结构化综合能力面试。

(10)晕船选拔

抗晕船能力测试。

(11)特因选拔

①高压氧敏感测试;

②幽闭测试。

(12)政审及家庭情况选拔

①政治审查;

②家庭情况调查。

按照以上选拔内容制定了选拔的条件,选拔条件如表7.7所示。

表7.7　潜航员选拔条件表

序号	项目	内容
1	基本条件审核	年龄、身高、体重、学历、专业(职业)背景、工作经历、婚姻及家庭状况等
2	基本理论知识测试	潜水器设计原理,包含海洋、船舶、机械、电子等相关专业基础知识
3	潜航员职业能力与特质测试	言语理解能力、数字推理能力、抽象推理能力、空间推理能力、机械推理能力、潜航员职业能力、人格特质
4	医学检查	外科(身高、体重、坐高、腿长、臂长)、内科(血压、脉搏、心脏、肝、脾、肾)、眼科(视力、色觉、隐斜、眼底)、耳鼻喉科(耳、鼻、口腔、听力)、神经科、B超、血常规、血糖血脂、尿分析、肝功能等
5	心理与职业能力组合面试	语言表达能力、逻辑思维能力、现场感知与掌控能力、自我认知能力、价值取向、形象气质等
6	心理测试	心理健康测查、神经行为核心测试、团体心理互动测试、半结构化访谈与评定
7	体质体能测试	长跑、短跑、跳远、摸高、力量
8	特因测试	氧敏感测试、晕船测试、幽闭测试
9	综合面试	专业知识、仪表气质、语言表达能力、性格与沟通能力、职位匹配度、工作经验、综合分析能力、应变能力、岗位兴趣爱好
10	政审与家庭情况调查	思想政治表现、家庭问题与家族病史、传染病史、遗传病史、地方病史、精神病史
11	选拔综合评价	针对各工作项目进行综合分析与评估,得出推荐顺序

7.2 潜航员培训

潜航员培训的主要内容共包括 6 个培训模块,分别培养其职业素养、体质体能与心理、专业基础理论、潜水器维护理论与技术、潜水器驾控技术及其海上作业能力,详细的培养课程设置如表 7.8 所示。

表 7.8 潜航员培训内容表

序号	培训模块	内容	理论课	实践课	总课时
1	职业素养	军训、政策与形势分析、礼仪与仪表、演讲与口才、媒体沟通、文学素养、英语、海洋法律法规、专题报告	200	160	360
2	体质体能与心理能力	一般体质体能训练、前庭功能训练、心理能力训练、医学培训、轻装潜水训练	94	512	606
3	专业基础理论	船舶与海洋工程导论、机械原理与液压技术导论、电工电子技术导论、水声通信原理、海洋科学导论	200	—	200
4	潜水器维护理论与技术	总体、结构、机械、控制、电气、声学、潜水器维护保养技术培训、潜水器常规维护保养技术、潜水器维修技术、潜水器备品备件准备、潜水器故障分析与排除技术、水面支持系统培训	380	320	700
5	潜水器驾控技术	潜水器作业规程、模拟操作训练、机械手及作业工具操作训练、实艇水池操作训练、应急与故障操控训练、海上实习操控训练	40	680	720
6	海上作业能力	海上环境适应性训练、实艇驾驶与作业训练、"蛙人"岗位实习、潜水器现场维修维护与故障诊断排除实习	8	160 天18 潜次	8
	考核	先由各培训项目分别考核,再由培训技术专家组根据各项目考核结果进行综合评定	—	—	—
	合计		922	1 672,160 天/18 潜次	2 594,160 天/18 潜次

1. 职业素养

职业素养的培训旨在提高潜航员的政治思想水平、大局意识、纪律观念、历史文化素养,提升其团队协作意识、社会公共关系能力、英语沟通交流能力、仪容仪表形象等综合素质,通过系统的培训与训练,使潜航员成为知识结构全面、综合素质突出的复合型人才,并能够为宣传海洋事业、载人深潜事业发挥积极作用。

2. 体质体能与心理能力

体质体能与心理训练不仅能够帮助潜航员强健体魄,使潜航员在身体体质、力量、耐力、爆发力以及速度等方面获得长足进步,而且对于提高潜航员的心理运动能力、动作反应能力,增强其灵活性、协调性,培养坚强的意志品质和稳定的情绪具有重要作用。

潜航员职业的特殊性和工作环境的极端性要求潜航员必须具备强烈、高尚的职业动机、稳定的情绪、坚强的意志,能够敢为果断、吃苦耐劳、坚毅有恒,具有很强的自我调节能力、良好的人际相容性、很强的合作意识,能够性格开朗、机智灵活,这些都需要通过系统、严格的心理训练实现。

3. 专业基础理论

专业基础理论培训旨在使潜航员全面地掌握载人潜水器设计相关领域及海洋科学研究相关领域的基础知识与通用技术,为开展载人潜水器维护保障工作打下基础,为科学有效地执行下潜作业任务做好知识储备。

4. 潜水器维护理论与技术

潜水器维护理论与技术培训旨在使潜航员全面、系统地了解7 000米级载人潜水器各系统的工作原理、设计思想与功能实现,从理论上对载人潜水器各系统具有明确的认识和深刻的理解,具备较高的理论基础和专业能力能够和载人潜水器研发人员及维护保障人员就载人潜水器相关技术进行交流与讨论。潜水器技术理论培训以7 000米级载人潜水器各系统的原理、组成和技术实现为主要内容。

潜水器维护保养技术培训是潜航员学员培训的核心内容之一,旨在使潜航员进一步加深对载人潜水器各系统的理解和认识,熟练掌握载人潜水器维护保障相关技术,具备独立开展潜水器维护保障工作的能力,从而在日常工作和海上作业期间有效履行潜航员岗位职责。

水面支持系统是载人潜水器执行下潜作业任务的必备条件,水面支持系统培训旨在使潜航员了解潜水器母船上水面支持系统设备及其工作原理,了解水面支持系统相关设备的操作与使用,掌握潜水器布放回收流程与工作机制,为顺利执行下潜作业和独立承担潜水器维护保障任务打下坚实基础。

5. 潜水器驾控技术

潜水器驾控技术训练是潜航员学员培训的核心内容之一,旨在逐步培养潜航员正确驾驶操控载人潜水器的主观感觉,熟练掌握载人潜水器的航行与控制、观察与通信、机械手作业等各项驾驶与操纵控制技能,掌握舱内故障识别与处理办法,使其能够独立承担潜水器驾驶与作业任务。

6. 海上作业能力

海上作业能力的训练旨在结合"蛟龙"号试验性应用航次机会进行实艇驾驶与作业训练,使潜航员学员明确海上作业规程,掌握海上安全作业规范,逐步具备海上作业能力。

参 考 文 献

［1］ ASHLEY S. Down to the Deep［J］. Scientific American,2003,289(6):16-17.

［2］ BARHAM E G, AYER N J, BOYCE R E. Macrobenthos of the San Diego Trough: photographic census and observations from bathyscaphe, Trieste［J］. Deep-Sea Research and Oceanographic Abstracts,1967,14(6): 773-778,IN13-IN15,779-784.

［3］ HASHIMOTO J,BARRY J P. Revisiting the Challenger Deep Using the ROV Kaiko［J］. Marine Technology Society Journal,2009,43(5):77-78.

［4］ CAPRAIS J C, LANTERI N, CRASSOUS P, et al. A new CALMAR benthic chamber operating by submersible: First application in the cold-seep environment of Napoli mud volcano (Mediterranean Sea)［J］. Limnology & Oceanography Methods,2011,8(6):304-312.

［5］ CARLSON P R,KARL H A. Development of large submarine canyons in the Bering Sea, indicated by morphologic, seismic, and sedimentologic characteristics［J］. Geological Society of America Bulletin,1988,100(10):1594-1615.

［6］ COLLOT J Y,LALLEMAND S,PELLETIER B,et al. Geology of the d'Entrecasteaux-New Hebrides arc collision zone:results from a deep submersible survey［J］. Tectonophysics, 1992,212(3):213-241.

［7］ CRESSEY D. The Hadal Zone: Life in the Deepest Oceans ［M］. United Kingdom: Cambridge University Press,2015.

［8］ CUI W. Development of the Jiaolong Deep Manned Submersible［J］. Marine Technology Society Journal,2013,47(3):37-54.

［9］ ESTABROOK N,WHEELER H,UHLER D,et al. Development of deep-ocean work system ［J］. Mechanism & Machine Theory,1975,12(5):573-577.

［10］ FIELDS H. A Swiss family's triple crown［J］. Usnews & World Report,2004,136(7):78-80.

［11］ FRICKE H, SCHUHMACHER H. The Depth Limits of Red Sea Stony Corals: An Ecophysiological Problem (A Deep Diving Survey by Submersible)［J］. Marine Ecology, 2010,4(2):163-194.

［12］ GAMO T,SAKAI H,NAKAYAMA E,et al. A Submersible Flow-through Analyzer for in situ Colorimetric Measurement down to 2000m Depth in the Ocean ［J］. Analytical Sciences,1994,10(6):843-848.

［13］ GARCIA M O,JORGENSON B A,MAHONEY J J,et al. An evaluation of temporal geochemical evolution of Loihi Summit Lavas:Results from Alvin Submersible Dives［J］. Journal of Geophysical Research Solid Earth,1993,98(B1):537-550.

［14］ GRASSLE J F,SANDERS H L,HESSLER R R,et al. Pattern and zonation:A study of the bathyal megafauna using the research submersible Alvin[J]. Deep Sea Research and Oceanographic Abstracts,1975,22(7):457-481.

[15] HARDY K. Tech Specs:Trieste and Trieste Ⅱ:From 'Manned Submersibles' by R. Frank Busby[J]. Marine Technology Society journal,2009,43(5):37-41.

[16] HENRY P,ZITTER T A,PICHON X L,et al. Manned submersible observations at cold seeps in the North Anatolian Fault zone, Sea of Marmara[C]. AGU Fall Meeting Abstracts. AGU Fall Meeting Abstracts,2007.

[17] JAMIESON A J. The Five Deeps Expedition and an Update of Full Ocean Depth Exploration and Explorers[J]. Marine Technology Society journal,2020,54(1):6-12.

[18] JARRY J,FARCY A. Navigation system used by submersibles in famous project[C]// Oceans. IEEE,2010.

[19] KHLYSTOV O M, ZEMSKAYA T I, SITNIKOVA T Y, et al. Bottom bituminous constructions and biota inhabiting them according to investigation of Lake Baikal with the Mir submersible[J]. Doklady Earth ences,2009,429(8):1333-1336.

[20] KOHNEN W. Human Exploration of the Deep Seas: Fifty Years and the Inspiration Continues[J]. Marine Technology Society Journal,2009,43(5):42-62.

[21] KOHNEN W. Review of Deep Ocean Manned Submersible Activity in 2013[J]. Marine Technology Society Journal,2013,47(5):56-68.

[22] LAIDIG T E,KRIGSMAN L M,YOKLAVICH M M. Reactions of fishes to two underwater survey tools,a manned submersible and a remotely operated vehicle[J]. Fishery Bulletin-National Oceanic and Atmospheric Administration,2013,111(1),54-67.

[23] LUCEY D. ONR Commemorates Its Long History of Ocean Exploration[J]. Unmanned systems,2010,28(6):29.

[24] MARILYN S,MICHELLE H. Modeling the Trieste to Explore Density and Buoyant Force [J]. Marine Technology Society Journal,2009,43(5):187-193.

[25] MARTIN M. Technological evolution [submersibles][C]. Oceans:IEEE,2002.

[26] MATSUMOTO T. Gravity measurement by use of deep sea submersibles[J]. Journal of the Geodetic Society of Japan,2000,46(2):89-108.

[27] MAUFFRET A, LEROY S, VILA J M, et al. Prolonged Magmatic and Tectonic Development of the Caribbean Igneous Province Revealed by a Diving Submersible Survey [J]. Marine Geophysical Researches,2001,22(1):17-45.

[28] MAVOR, JAMES W. Observation windows of the deep submersible alvin[J]. Marine Technology Society journal,2015,49(6):17-31.

[29] NAKAJIMA R,KOMUKU T,YAMAKITA T,et al. A new method for estimating the area of the seafloor from oblique images taken by deep-sea submersible survey platforms[J]. Jamstec Report of Research & Development,2015,19:59-66.

[30] OHTA S. Deep-sea submersible survey of the hydrothermal vent community on the northeastern slope of the Iheya Ridge, the Okinawa Trough[J]. Jamstectr Deepsea

Research, 1990(6):145-156,

[31] PARROTT D, CAMPANELLA R, IMBER B. SeaCone-A Cone Penetrometer for use With the Pisces Submersible, January 13[C]. OCEANS. 1987, 2011.

[32] PENNER G B, BEAUCHEMIN K A, MUTSVANGWA T. An Evaluation of the Accuracy and Precision of a Stand-Alone Submersible Continuous Ruminal pH Measurement System [J]. Journal of Dairy Science, 2006, 89(6):2132-2140.

[33] PFITSCH D W, MALKIEL E, RONZHES Y, et al. Development of a free-drifting submersible digital holographic imaging system[C]. Oceans: IEEE, 2005.

[34] PICHON X L, FOUCHER J P, BOULèGUE J, et al. Mud volcano field seaward of the Barbados Accretionary Complex: A submersible survey [J]. Journal of Geophysical Research Solid Earth, 1990, 95(B6):8931-8943.

[35] PICHON X L, IIYAMA T, BOULèGUE J, et al. Nankai Trough and Zenisu Ridge: a deep-sea submersible survey[J]. Earth & Planetary Science Letters, 1987, 83(1-4):285-299.

[36] SAEGUSA S, TSUNOGAI U, NAKAGAWA F, et al. Development of a multibottle gas-tight fluid sampler WHATS II for Japanese submersibles/ROVs[J]. Geofluids, 2010, 6(3): 234-240.

[37] SAGALEVICH A M. 30 years experience of Mir submersibles for the ocean operations [J]. Deep Sea Research Part II Topical Studies in Oceanography, 2017, 155(9):83-95.

[38] SAGALEVICH A M. MIR-1 and MIR-2 submersibles mark 25 years of history[J]. Sea Technology: Worldwide Information Leader for Marine Business, Science & Engineering, 2012, 53(12):45-48.

[39] SAGALEVITCH A M. 25th anniversary of the deep manned submersibles MIR-1 and MIR-2[J]. Oceanology, 2012, 52(6):817-830.

[40] SAGALEVITCH A. From the Bathyscaph Trieste to the Submersibles MIR[J]. Marine Technology Society journal, 2009, 43(5):79-86.

[41] SAGALEVITCH A. A new birth for the MIR-1 and MIR-2 submersibles[J]. Sea Technology, 2004, 45(12):27-33.

[42] SAGALEVITCH A. Special Scientific Equipment for the Submersibles[C]. Oceans: IEEE, 2011.

[43] SAGALEVITCH A, BOGDANOV Y. First dives of the "MIR" submersibles on new hydrothermal field in the Atlantic[C]. Oceans: IEEE, 2002.

[44] SAGALEVITCH A M. 10 years anniversary of deep manned submersibles MIR-1 and MIR-2[J]. IEEE Xplore, 1997, 52(6):59-65.

[45] SCHILLING T. 2013 State of ROV Technologies[J]. Marine Technology Society Journal, 2013, 47(5):69-71.

[46] SZITKAR F, DYMENT J, FOUQUET Y, et al. Absolute magnetization of the seafloor at a basalt-hosted hydrothermal site: Insights from a deep-sea submersible survey [J]. Geophysical Research Letters, 2015, 42(4):1046-1052.

［47］ THORNBURG T M, KULM L D, HUSSONG D M. Submarine-fan development in the southern Chile Trench：A dynamic interplay of tectonics and sedimentation［J］. Geological Society of America Bulletin, 1990, 102(12):1658-1680.

［48］ VINE A, BOYKIN R. Operational experience with alvin submersible［J］. Aiaa Journal, 2013, 16(8):338-347.

［49］ VINOGRADOV M E, SHUSHKINA E A. Vertical Distribution of Gelatinous Macroplankton in the North Pacific Observed by Manned Submersibles Mir-1 and Mir-2 ［J］. Journal of Oceanography, 2002, 58(2):295-303.

［50］ WALDEN B B, BROWN R S. A Replacement for the Alvin Submersible［J］. Marine Technology Society Journal, 2004, 38(2):85-91.

［51］ YAMAMOTO M, TAKAHASHI R. Result of underwater acoustic intensity measurement for 6500m submersible supporting ship "YOKOSUKA"［J］. Journal of the Kansai Society of Naval Architects Japan, 1989, 165-167.

［52］ ZHANG X, FENG M, ZHAO M, et al. Failure of silicon nitride ceramic flotation spheres at critical state of implosion［J］. 2020, 97:102080.

［53］ 曹福辛. 载人潜水器材料技术发展现状［J］. 中国材料进展, 2011, 30(6):33-36.

［54］ 曹祥. 深海海洋测绘中载人潜水器的应用探析［J］. 建筑·建材·装饰, 2015(22):290-290.

［55］ 崔维成. "蛟龙"号载人潜水器关键技术研究与自主创新［J］. 船舶与海洋工程, 2012(1):1-8.

［56］ 崔维成, 刘峰, 胡震, 等. 蛟龙号载人潜水器的 7 000 米级海上试验［J］. 船舶力学, 2012, 16(10):35-47.

［57］ 崔维成, 刘峰, 胡震, 等. 蛟龙号载人潜水器的 5 000 米级海上试验［J］. 中国造船, 2011(3):5-18.

［58］ 崔维成, 徐芑南, 刘涛, 等. 7 000 m 载人潜水器研发简介［J］. 船舶与海洋工程, 2008, (1):14-17, 31.

［59］ 丁忠军, 周兴华, 高伟. 载人潜水器在深海海洋测绘中的应用［J］. 海洋测绘, 2013, 33(1):80-82.

［60］ 胡震, 叶聪, 杨申申, 等. 4 500 米载人潜水器研制［J］. 科技成果管理与研究, 2019, (4):50-51.

［61］ 李志伟, 马岭, 崔维成. 小型载人潜水器的发展现状和展望［J］. 中国造船, 2012, 53(3):244-254.

［62］ 刘保华, 丁忠军, 史先鹏, 等. 载人潜水器及其在深海科学考察中的应用［C］// 中国海洋研究委员会 2011 年会, 2011.

［63］ 刘保华, 丁忠军, 史先鹏, 等. 载人潜水器在深海科学考察中的应用研究进展［J］. 海洋学报, 2015(10):3-12.

［64］ 刘峰. 深海载人潜水器的现状与展望［J］. 工程研究-跨学科视野中的工程, 2016(8):172-178.

［65］ 刘峰,崔维成,李向阳.中国首台深海载人潜水器:蛟龙号[J].中国科学:地球科学,2010,40(12):1617-1620.

［66］ 刘涛.深海载人潜水器耐压球壳设计特性分析[J].船舶力学,2007,11(2):58-64.

［67］ 刘涛,王璇,王帅,等.深海载人潜水器发展现状及技术进展[J].中国造船,2012,53(3):239-249.

［68］ 任玉刚,刘保华,丁忠军,等.载人潜水器发展现状及趋势[J].海洋技术学报,2018,37(2):117-125.

［69］ 沈允生,刘涛,张文忠.小型观察型载人潜水器技术现状[J].江苏船舶,2008,25(4):13-17.

［70］ 肖荣端,李志平.俄国载人潜水器发展评介[J].应用科技,1995(2):59-64.

［71］ 徐芑南,张海燕.蛟龙号载人潜水器的研制及应用[J].科学,2014,66(2):11-13.

［72］ 徐伟哲,张庆勇.全海深潜水器的技术现状和发展综述[J].中国造船,2016,57(2):206-221.

［73］ 许哲铭.轻型载人潜水器的发展现状[J].中国水运(下半月),2018,18(2):7-9.

［74］ 俞铭华,王自力,李良碧,等.大深度载人潜水器耐压壳结构研究进展[J].江苏科技大学学报(自然科学版),2004,18(4):6-9.

［75］ 遠藤,倫正,横田,等.深海潜水調查船用浮力材(第1報)[J].関西造船協会誌,1971,(140):13-22.

［76］ 张宁.浅论我国深海载人潜水器的发展趋势及管理体制[J].海洋开发与管理,2008,25(8):37-40.

［77］ 张同伟,唐嘉陵,杨继超,等.4 500 m 以深作业型载人潜水器[J].船舶工程,2017,39(6):77-83.

［78］ 张伟,叶聪,李德军,等.深海载人潜水器安全性研究进展[J].2022,63(4):83-92.

［79］ 汪杰,冯绍华,陈先.4 500 m 阻燃固体浮力材料的研究与制备[J].塑料工业,2015,43(3):132-135.

［80］ 黄炳坤.固体浮力材料的制备及性能研究[D].大连:大连理工大学,2015.

［81］ 梁小杰,梁忠旭,周媛,等.全海深浮力材料性能分析[J].热固性树脂,2016,31(05):38-41.

［82］ 刘峰.深海载人潜水器的现状与展望[J].工程研究:跨学科视野中的工程,2016,8(2):172-178.

［83］ 胡勇,崔维成,刘涛.大深度载人潜水器钛合金框架试验研究[J].船舶力学,2006,10(2):73-81.

［84］ 黄建城,胡勇,冷建兴.中国造船深海载人潜水器载体框架结构设计与强度分析[J].中国造船,2007,48(2):55-63.

［85］ 陈科,冯亮,张杨,等.载人潜水器艇型及框架结构研究[J].船舶标准化工程师2018,51(1):16-21,25.

［86］ 张同伟,唐嘉陵,杨继超,等.4 500 m 以深作业型载人潜水器[J].2017,39(6):81-87.

[87] 陈云赛,褚振忠,刘坤,等.深海潜水器推进器故障诊断技术研究进展[J].2020,41(281):10.

[88] 俞建成,张艾群,王晓辉.7 000 米载人潜水器推进器故障容错控制分配研究[J].机器人,2006,28(5):519-524.

[89] 齐海滨,杨磊,程斐,等.锌银电池在载人潜水器中的应用[J].电池,2019,49(6):515-516.

[90] 曹俊,程斐,叶聪,等.载人潜水器中水密接插件组件应用研究[J].船电技术,2022(4):1-6.

[91] 刘开周,祝普强,赵洋,等.载人潜水器"蛟龙"号的控制系统研究[J].科学通报,2013(S2):40-48.

[92] 刘传秀.载人潜水器控制系统设计[D].哈尔滨:哈尔滨工程大学,2009.

[93] 朱敏,张同伟,杨波,等.蛟龙号载人潜水器声学系统[J].2014(35):9.

[94] 崔维成,刘峰,胡震,等.蛟龙号载人潜水器的 7 000 米级海上试验[J].船舶力学 2012,16(10):1131-1143.

[95] 朱维庆,朱敏,王军伟,等.水声高速图像传输信号处理方法[J].声学学报,2007(5):385-397.

[96] 李向阳,刘峰.蛟龙号载人潜水器研制及海试的组织[J].中南大学学报:自然科学版,2011(42):10-12.

[97] 朱维庆,朱敏,刘晓东,等.海底微地貌测量系统[J].海洋测绘,2003,23(3):27-31.

[98] 孙宇佳,刘晓东,张方生,等.浅水高分辨率测深侧扫声呐系统及其海上应用[J].海洋工程,2009,27(4):96-102.

[99] 邱中梁,胡晓函,焦慧锋,等."蛟龙号"载人潜水器液压系统设计研究[J].液压与气动,2014(2):44-48.

[100] 吴世海,邱中梁.深海载人潜水器液压系统研究[J].液压与气动,2004(6):54-56.

[101] 詹传明,刘银水,吴德发.海水液压传动技术在潜水器中的应用[J].液压与气动,2011(1):50-52.

[102] 汤国伟,邱中梁,王璇.深海载人潜水器压载水箱注排水系统研究[J].液压与气动,2008(3):7-9.

[103] 德米特里耶夫 A H,凌水舟.深潜器设计[M].北京:国防工业出版社,1984.

[104] 邱中梁,冷建兴,陈建平,等.深海载人潜水器可调压载系统研究[J].2003(110):9-11.

[105] 汤国伟,邱中梁,高波.深海载人潜水器纵倾调节系统设计研究[J].液压与气动,2007(4):33-35.

[106] 吴宪,邱中梁,赵远辉.潜水器的典型可弃压载系统研究[J].液压气动与密封 2018,38(3):43-47.